평범한 날들을
근사하게 기록하는 법

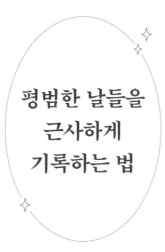

평범한 날들을
근사하게
기록하는 법

로라 패쉬비 지음
이정민 옮김

indigo
Story and mate

· 차례 ·

일상 속 순간들을 음미하면
무엇이 달라질까요?

잔뜩 찌푸린 날이 며칠씩 계속되던 중 문득 침실 벽을 수놓는 햇빛의 마법, 추운 날 아침 주방 창에 하얗게 서린 성에, 혹은 문 앞 도어매트 위에서 뜻밖에 발견한 사랑스럽고 익숙한 손 글씨가 적힌 편지까지, 소소한 이야기는 대단할 건 없지만 한밤의 반딧불이나 한겨울 나뭇가지 끝에서 반짝이며 떨어지는 물방울처럼 찬란하게 빛납니다. 우리가 사랑하는 사람들의 이야기, 세심하게 관찰해서 발견한 장면들, 마음에 품은 작은 비밀들과 내면을 밝게 비추는 추억들을 담고 있지요. 소소한 이야기는 우리를 매일 아침 침대에서 일어나게 만들고, 매일같이 기쁨을 경험하게 해주며, 그리고 누군가와 공유하고 싶은 일상의 순간들이 되어 우리로서 존재하게 해주는 소중한 이야기입니다.

소소한 순간들이 얼마나 소중한지 깨닫지 못하면 소소한 이야기 역시 놓칠 수밖에 없습니다. 우리가 그것들을 알아보지 못하면 그대로 저 멀리 날아가 버릴 테지만 주의를 기울이는 법을 배우면 빠짐없이 모아서 고이 곁에 둘 수 있습니다. 나른한 오후의 공기 속에 둥둥 떠다니는 걸 붙들 수도 있고 길 너머로 나직하게 울려 퍼지는 목소리처럼 직감하고 따라가 볼 수도 있죠.

소소한 이야기는 온종일 어느 순간에나 존재합니다. 버스 뒷좌석에서 혹은 조용한 카페 한구석에서 가장 좋아하는 의자에 몸을 파묻고 있다가 마주칠 수도 있고 아끼는 책에 얌전히 끼워져 있는 걸 발견할 수도 있어요. 눈 내리는 아침이나 비 내리는 오후에도 우리에게 놀라움을 안겨 주는 게 바로 소소한 이야기입니다. 잊고 있던 뭔가를 주머니에서 발견하는 순간, 햇빛이 찬란하게 빛나는 커튼을 열어젖히는 순간, 서랍 뒤편에서 우연히 뭔가를 끄집어내는 순간 같은 거죠.

삶의 소소한 이야기를 포착하고 기록하기 위해서는 일상의 속도를 의식적으로 낮출 필요가 있습니다. 잠시 멈춰 서서 익숙하고 평범한 일들 속에 있는 순간을 알아차려야 하니까요. 삶의 소소한 이야기를 전달한다는 건 진정 소중한 것을 아끼고 추억으로 만들며 삶을 창의적으로 포착하고 우리를 우리로 존재하도록 하는 게 무엇인지 발견하는 행위입니다.

지난 10년간 나는 글과 사진을 이용해 내 삶의 소소한 이야기를 공유해 왔어요. 그 과정에서 창의력을 발전시키고 새로운 커리어도 쌓았습니다. 세상을 보는 시각은 물론, 나 자신을 바라보는 시각 역시 바

꿰었고요. 스토리텔링을 향한 여정은 피곤하고 조금은 지루하며 자존감은 바닥에 떨어진 초보 엄마 시절 나만의 블로그를 만들면서 시작됐습니다. 내 삶의 소소한 이야기를 공유하기로 마음먹으면서 일상을 새로운 시각으로 들여다보려고 노력했습니다. 그리고 이제 누군가와 공유할 만한 재밌는 일이 전혀 없다는 느낌 따위는 더 이상 갖지 않게 되었습니다. 아름답거나 가슴 아픈 순간을 발견하는 법을 배우니 따분했던 일상도 매력적으로 다가왔고, 그 일상적인 순간들에 열광하게 되었죠.

나는 내 창의성을 직접 시험해 보기로 하고 삶의 이야기를 공유했습니다. 주방 테이블 위의 시시각각 변하는 소품들, 공예와 책을 향한 애정, 그리고 나를 둘러싼 세상의 소소한 것들을 다 기록했죠. 덕분에 다른 스토리텔러들과 인연을 맺고 우정도 쌓을 수 있었어요. 나의 블로그 활동은 인스타그램으로 이어졌고 다양한 기회를 내게 선사해 주었습니다. 각종 잡지와 인터넷 사이트에 글을 기고했고 여러 브랜드와 콜라보 작업을 진행했으며 직접 찍은 사진을 판매하기도 하는 등 이야기를 전하는 프리랜서로 입지를 다져 왔죠. 이후 일어난 모든 일은 나의 이야기가 공유할 가치가 있고 나의 고요한 목소리 역시 영향력이 있다는 자신감을 갖게 되면서 생긴 결과라고 진심으로 믿어요. 내가 사랑하는 일을 하고 내가 누구인지도 깨달았습니다. 이 모든 건 소소한 이야기에서 시작되었죠.

이토록 소란한 세상에서 당신만의 이야기를 하는 것이 두렵게 느껴질 수 있어요. 나 역시 그랬으니까요. 이 책에는 창의적이고 의식적이며 사려 깊은 스토리텔링 방법이 소개되어 있어요. 이 책을 통해 소소한 이야기가 품은 힘에 눈뜰 수 있음을 보여 줄 겁니다. 당신도 삶에서 중요한 순간들을 음미할 수 있으며, 당신의 이야기를 통해 타인과 연결될 수 있어요. 카메라, 종이와 펜만 있으면 스토리텔링 연습을 시작할 수 있으니 이 책을 읽는 동안 카메라(휴대폰 카메라로도 충분해요), 연필과 노트를 마련해 보세요. 노트는 우리의 소소한 이야기를 써내려갈 공간이에요. 노트가 아니라 일기장, 다이어리, 스크랩북, 어떤 형식이어도 상관없어요.

종이에 쓰든 노트북이나 휴대폰에 문서로 저장하든, 또 떠오르는 생각들을 두서없이 날려 쓰든 혹은 매일의 기록을 성실하게 남기든 글을 쓴다는 행위는 기억하고 기록한다는 한 가지 동일한 욕구에서 비롯됩니다. 이 책에서 나는 '일기장'과 '노트'를 혼용할 거예요. 일기를 쓴다는 건 부담스러울 만큼 열심히 영혼을 탐색하는 행위처럼 들릴 수 있지만 결국은 노트에 글을 쓰는 행위에 불과하죠. 수많은 다른 일들과 마찬가지로 글쓰기도 습관처럼 규칙적으로 반복할 때 최대의 효과를 발휘합니다. 하지만 하루 혹은 며칠 좀 못 쓰게 되더라도 상심하지는 마세요. 며칠이 빠지더라도 당신의 소소한 이야기를 모두 합쳐 놓으면 큰 그림이 그려질 테니까요.

소소한 이야기는 얼핏 아무것도 아닌 듯 하지만 사실 모든 걸 의미해요. 그것들이야말로 우리를 놀라게 하고 기쁘게 하며 또 때로 마음 아프게 하니까요. 나는 내 삶의 소소한 이야기를 글과 사진으로 기록함으로써 삶의 조각보를 만들고 그 결과 삶 전반을 아우르는 이야기를 구축해 갈 수 있다고 믿습니다. 그것은 내가 진짜 누구인지 드러내는 일대기일 수 있어요.

당신의 삶을 구성하는 소중한 조각들을 모아 빛을 비춰 보면 어떤 이야기들이 보일까요? 소소한 이야기를 어떻게 전달할지뿐 아니라 왜 전달해야 하는지도 생각해 봤으면 좋겠습니다. 당신만의 고유한 창의력을 발견하고 일상의 소중한 순간을 포착하는 습관을 기르기 위해 세상을 조금 다른 관점에서 바라보는 데 이 책이 출발점이 되길 바라요. 삶의 디테일은 중요합니다. 삶의 소소한 이야기들을 공유하면 새로운 관계, 아름다움과 기회의 세계가 열릴 테니까요. 그리고 이 책이 바로 그 방법을 알려 줄 겁니다.

chapter 1

당신만의 이야기를
기록하는 방법을
알려 드릴게요

당신에겐 당신만의 이야기가 있어요

당신은 흥미로운 이야기를 지녔고 사람들에게 들려줄 준비도 돼 있어요. 내가 이렇게 단언하는 건 우리는 모두 자기만의 이야기를 갖고 있기 때문이에요. 이는 우리가 인간이기에 의심할 바 없는 진실입니다. 게다가 이 책을 펼쳤다는 것 자체가 당신만의 이야기를 풀어낼 준비가 됐음을 의미해요. 조심스레 스토리텔링의 여정에 나서는 당신의 손을 내가 잡아 줄게요. 나와 함께 걸어가 보겠어요? 스토리텔링은 관심을 기울이는 데서 시작해요. 관심은 스토리텔링이 시작되는 지점이며 관심을 기울여야 나만의 관점을 발견할 수 있습니다. 우리가 무심히 지나치지만, 사실은 세상의 온갖 것들이 사람들에게 관심을 가져달라 소리치고 있어요. 당신의 관심은 그중에서 선택한 대상을 드러내고 또 변화시킬 수 있는 축복과 같죠. 어떤 대상에 빛을 밝혀 줄 것인가는 당신이 결정하는 겁니다. 당신을 둘러싼 세상을 좀 더 가까이 들여다볼수록 삶의 여러 소소한 부분들을 더 깊이 있게 인식하게 돼 감탄할 일도 그만큼 많아질 거예요.

스토리텔링을 위해 필요한 건 간단한 도구 몇 개에 불과해요. 이 책을 읽을 때 노트 한 권과 펜 한 자루를 준비해 두면 좋을 거예요. (디지털 기기를 선호한다면 휴대폰의 메모 어플을 사용해도 좋아요.) 멋들어진 새 노트가 부담스럽다면 저렴하고 투박한 연습장을 준비하세요. 뭔가 그럴듯한 명언들만 써야 한다는 압박감이 한결 줄어들 겁니다. 그래도 여전히 부담된다고요? 그럼 첫 장은 그냥 넘기고 두 번째나 세 번째 장부터 시작해 보세요. 이 일기의 주인은 바로 당신입니다. 학교나 직장에서 글을 쓸 때 가졌던 태도, 더 잘 쓰고 싶어 안달하던 마음은 접어 두세요. 어떤 말을 쓸지, 온전한 문장을 구사할지 말지, 깔끔하게 쓸지 다른 식으로 할지는 순전히 당신의 선택이에요. 글쓰기를 실력의 관점에서 보지 말고 당신 안에 있는 무언가라고 생각하세요. 당신의 심장에서 눈앞의 종이까지 연결된 길이라고 말이에요.

나만의 소소한 이야기를 들려주기 위해 글과 사진을 함께 활용할 거예요. 사진은 이야기를 전달하는 상당히 강력한 도구이고, 누구나 손쉽게 사용할 수 있는 매체예요. 내가 난생처음 사진을 제대로 경험한 건 열다섯 살 때 아빠가 올림푸스 트립 35mm 필름 카메라를 생일

선물로 사주고 지하의 작은 창고에 암실을 만들어 준 이후부터였어요. 그때 나는 필름 사진의 연금술에 완전히 매료됐죠. 카메라 뷰파인더를 들여다보며 이미지를 구성하는 건 어두운 곳에서 상당히 신중하게 점프하는 거나 마찬가지였어요. 사진은 네거티브 필름을 트레이에서 꺼내 반대의 포지티브 이미지로 인화한 뒤에야 볼 수 있으니까요. 나는 필름으로 사진 찍고 인화하는 과정에서 느낄 수 있는 고유한 감성을 언제까지나 사랑할 테지만 요즘엔 사진을 대부분 디지털 카메라, 그중에서도 휴대폰 카메라로 찍어요. 휴대폰 카메라도 소소한 이야기를 전달하기에 전혀 손색없는 도구죠. 몇 장이든 무제한으로 찍을 수 있는 데다 어떻게 찍혔는지 바로 볼 수 있어 다양한 시도도 해볼 수 있으니까요. 이 책에서 나는 휴대폰 카메라(혹은 애용하는 다른 카메라)로 촬영한 사진과 일기를 활용해 일상적 순간에 깃든 소소한 이야기를 기록하는 법을 알려 줄 거예요.

스토리텔링의 가장 어려운 부분 중 하나는 어디서 시작할지 결정하는 것이라는 사실은 다들 아실 거예요. 나는 최대한 작고 사소한 것에서 시작하라고 말해 주고 싶어요. 바로 지금 이 순간 당신 곁에 있는 대상에서 영감을 떠올려 보라고요. 차 한 잔에서 시작해 보는 건 어때요? 차 한 잔(혹은 당신이 좋아하는 뜨거운 음료든 무엇이든 좋아요)은 매일같이 대하는 단순한 아이템이니까요.

일단 눈앞에 찻잔이 있어요. 아마 당신이 가장 좋아하는 찻잔이겠죠. 매일같이 사용해 이가 빠졌을 수도 있고, 새로 장만한 거라 광택이 살아 있을 수도 있어요. 여행지나 휴가지에서 기념품으로 샀거나 선물로 받았거나 도예 장인으로부터 큰맘 먹고 구입했을 수도 있을 테고요. 찻잔 안에는 뭐가 들었나요? 차, 커피, 허브차? 유제품 섭취를 줄이는 중이어서 귀리 우유를 대신 넣었나요? 에너지 충전을 위해 설탕을 첨가한 건 아니고요? 뜨거운 음료는 연한 것과 진한 것 중 어떤 걸 좋아하나요? 당신이 차를 마시려고 찻잔을 집어 드는 바로 그 순간 이야기가 시작돼요. 마시고 있는 장소가 집의 주방 테이블인가요, 아니면 카페, 공원 벤치, 사무실 혹은 대기실인가요? 차를 목으로 넘길 때의 기분은 어때요? 생기가 돌고 수분이 충전되는 듯한가요, 아니면 편안하게 격려를 받는 기분인가요? 하루 중 차를 마시는 시간이 정해져 있나요? (요크셔에 거주하는 우리 할머니는 구십 평생 정확히 매일 오전 10시에 커피를 드셨어요.) 차를 마실 때는 누군가와 함께 있나요, 아니면 오롯이 혼자만의 시간인가요? 당신의 찻잔, 그리고 차 마시는 그 순간을 특별하게 만드는 건 이렇게 작은 이야기를 촘촘하게 구성하는 디테일들이에요.

내가 마시는 차는 진하지만 우유가 들었어요. 찻잔은 내 작은 다락방 사무실 책상 위에 수북이 쌓인 책들 꼭대기에 놓여 있죠. 나는 다른 가족들이 여전히 꿈속을 헤매는 이른 시간에 일어나 글을 씁니다. 들리는 소리라고는 새들이 지저귀는 소리, 그리고 정원 맞은편에 우뚝 솟은 너도밤나무 잎이 바스락대는 소리뿐이죠. 그 소리를 가만히 듣고 있으면 마치 대양의 파도가 속삭이는 것 같아요. 찻잔은 수년 전, 시인 딜런 토머스의 고향이자 안개 자욱한 신비로운 마을 로언에 여행차 들렀다 구입한 거예요. 파란 줄무늬와 모양이 한때 딜런 토머스가 작업할 때마다 사용했던 머그잔과 똑같아요. 목재로 마감된 그의 작업실은 환한 빛이 쏟아져 들어오고 벽에는 빛바랜 사진들이 꽂혀 있으며 바닥에는 구겨진 종이들이 나뒹굴었죠. 이제 내 머그잔은 이가 빠지고 유약도 갈라진 데다 색도 바랬지만 여전히 애정해요. 딜런 토머스의 시가 떠오르기 때문이죠. 단어들을 무작위로 조합해 놀라우면서도 아름다운 이미지와 의미를 창조해 내는 그의 시 말이에요. 그의 작품이 갖는 매력이 그의 책상과 나의 책상에 똑같이 올려져 있는 머그잔을 통해 내 책상에까지 전달되면 좋겠지만 그렇지는 않을 거예요. 하지만 나는 노트북 앞에 앉아 작업할 때면 시인의 머그잔으로 차를 마시는 기쁨을 온전히 누릴 수 있습니다.

차 한 잔은 인기가 좋은 시각적 주제입니다. 둥글고 친근한 머그잔에서 김이 폴폴 솟아오르는 풍경은 무엇보다 예쁘니까요. 하지만 그보다 중요한 게 바로 차 한 잔이 갖는 보편적 상징성이에요. 고요하고

편안한 순간을 나타내는 거죠. 이렇게 누구나 알고 있는 상징이라도 외형은 끝없이 변화할 수 있습니다. 한 손으로 머그잔을 만지작대는 모습일 수도 있고 테이블 한 편에 작은 꽃다발이나 책, 다 먹은 아침 그릇, 신문, 혹은 케이크 한 조각이 놓인 모습일 수도 있죠. 매일 똑같이 반복되는 아주 소소한 일이라도 수없이 다양한 방식으로 이야기할 수 있습니다. 바로 당신만의 방식으로 말이죠.

내가 지난 10년간 스토리텔링에 전념하면서 깨달은 건 매일이 마법이라는 사실이에요. 비록 수많은 할 일 목록, 가야 할 곳, 만나야 할 사람 등 바쁜 일상에 치여 놓치기 일쑤지만 한 줄기 빛은 언제나 그 자리에 있습니다. 우리의 일상은 '평범한 축복'으로 가득합니다. 늘 당연하게 여기다 잃어버릴 위기가 닥친 후에야 가장 소중한 보물이라는 사실을 깨닫는 축복 말이죠. 이처럼 우리가 간과하기 쉬운 평범함과 끊임없이 추구하는 특별함 사이에는 갈등이 일어납니다. 소설가 대니 샤피로가 말한 것처럼 "특별하고 극단적이며 뭔가 이례적인 일이 일어나기를 기다리느라 평범함을 놓친다면 그야말로 내 삶을 놓치고 마는" 거죠. 삶의 자질구레한 일들 가운데 마법이 숨어 있음을 깨닫기 위해 할 일은 한 번씩 좀 더 가까이서 들여다보는 것뿐입니다.

나는 베개에 아른거리는 아침 햇살, 고요한 새벽을 깨우는 우유병

소리에서 마법을 발견합니다. 창문을 여는 순간 느껴지는 흙 내음에서 봄이 성큼 다가왔음을 느낄 때도 마찬가지죠. 일상의 마법이 우리 각자에게 의미하는 바는 다르겠지만 별것 아닌 순간이든 중요한 순간이든 언제나 거기 있는 것만큼은 분명합니다. 우리 삶의 나날에 반짝이는 실 한 가닥이 엮여 있는 거죠.

　우리가 매일 하는 선택, 즉 어떤 일을 하고 어떻게 시간을 보내며 누구와 만나는지 등은 우리에게 중요한 게 무엇인지를 포함해 우리에 관한 정보를 간접적으로 드러냅니다. 삶은 셀 수 없이 많은 날이 얽히고설켜 구성됩니다. 평범한 날이라고 해서 간과하거나 무시할 수 있는 게 아니에요. 하루하루가 소중하죠. 작은 순간들이 모여 각자에게 고유한 패턴을 형성하고 그 결과 온전한 자아를 찾을 수 있어요. 조금만 여유를 갖고 눈을 떠 주위를 둘러보면서 이 같은 일상의 마법을 찾아볼래요? 세심하게 관심을 기울이면 평범한 것들 사이에서 특별한 뭔가를 예기치 않게 발견할 수 있을 거예요. 별 볼 일 없는 굴 껍데기 안에 빛나는 진주처럼 말이죠.

일상을 섬세하게 기록하기 위한
목록부터 만들어 보세요

우리 삶의 소소한 순간들, 그리고 우리를 둘러싼 세상의 일상적 마법을 온전히 경험하려면 발견하고 기록하는 것부터 시작해야 해요. 이를 위한 가장 쉬운 방법이 바로 목록 작성입니다. 목록은 축약된 형태의 스토리텔링이에요. 생각과 관심을 일목요연하게 정리해 주죠. 느낌, 감각, 관찰하거나 생각한 바를 재빠르게 기록할 수 있는 방법이기도 하고요.

우선 당신이 새롭게 발견한 다섯 가지를 적어 내려가 보세요. 물론, 더 많이 적어도 좋습니다. 이때 당신의 감각에 집중하면 도움이 될 거예요. 가령 이런 식이죠.

◆ 들리는 소리

- 오늘 발견한 파란색의 대상 (혹은 원하는 다른 색상도 가능)

- 오늘 맛본 것

- 집을 떠올리게 한 향기

- 오늘 행복했던 순간

- 걸을 때 보았던 다양한 질감

- 집에서 햇살이 아른거리던 지점

- 지금 가장 좋아하는 단어

- 오늘 느꼈던 계절감(예. 여름)

목록 작성은 쉽고 빠르며 편안하게 할 수 있는 만큼 글쓰기의 좋은 출발점입니다. 만약 묘사해 보고 싶은 광경이나 전하고 싶은 이야기가 있는데 너무 어려울 듯해 부담스럽다면 연관된 단어의 목록을 작성하는 것부터 시작해 보세요. 일기 혹은 스토리텔링을 위한 주제와 아이디어를 모으는 데 목록 작성만큼 좋은 방법도 없어요. 짧은 목록을 여럿 만들어도 좋고 일기장(혹은 휴대폰 메모장)의 한 쪽을 통째로 할애해 '일상 속 마법 같은 순간'처럼 특정 목록을 작성한 뒤 추가해도 좋습니다.

지금처럼 모두가 연결된 세상에서 특히 시간 가는 줄 모르고 소셜 미디어에 매달리면 비교의 함정에 빠지기 십상입니다. 타인의 삶은 말 그대로 완벽하고 성공만이 계속되는 것처럼 보이기 마련이죠. 그에 비해 내 삶은 여전히 부족하고 내세울 것도 없는 데다 공유할 이야기 따위 없어 보여요. 그런데 내가 겪어 보니 감탄이 절로 나오는 인스타그램 속 사진 역시 그 이면에는 사실 엉망진창인 현실이 숨겨져 있더라고요. 사진 한 장에 담을 수 있는 이야기는 지극히 일부에 불과한 만큼 누구나 최고의 모습을 과시하고 싶은 게 당연해요. 나는 당신이 타인의 이야기에 홀려 자괴감에 빠져 있는 대신 기억하고 싶은 이야기, 오롯이 당신만이 할 수 있는 이야기를 찾아내도록 돕고 싶어요. 당신만의 소소한 이야기를요.

당신에겐 이야기가 있어요. 카메라 렌즈로 자신을 들여다보고 있다고 상상해 보세요. 처음에 카메라는 와이드 샷으로 당신이 사는 동네 혹은 도시까지 전부 비추다 점차 당신이 있는 곳까지 줌 인을 해 들어가죠. 지금 이 순간 당신이 앉아 있는 집, 카페, 혹은 공원 벤치까지 말이에요. 줌을 더 당기자 이 책을 읽고 있는 당신이 보여요. 한 번 더 당기자 당신의 눈길을 사로잡거나 마음에 박히는 어느 한 부분이 보이고요. 그건 당신이 있는 공간의 특이 사항일 수 있습니다. 공원 의자에 새겨진 격려 문구나 가죽 의자의 팔걸이 부분에 생긴 균열처럼요. 당신이 가장 좋아하는 점퍼 소매 부분에 난 구멍이나 귀 뒤로 넘긴 머리카락, 혹은 꼬거나 접은 다리 밑에 널브러져 있는 구겨진 신발일 수도 있죠. 책갈피로 쓰는 오래된 기차표일 수도 있고요. 지금 당신이 있는 곳에는 이 순간 당신이 누구인지 말해 줄 수 있는 구체적인 뭔가가 있습니다. 그것이 무엇이며 왜 당신을 사로잡는지 생각해 보세요. 그것은 당신에게 무엇을 의미하나요? 또 당신을 어떤 기분으로 만들어 주나요? 이런 게 바로 타인과 공유할 소소한 이야기인 겁니다.

이 같은 이야기의 기쁨은 소소하다는 데 있어요. 한 해, 한 주, 하루를 처음부터 끝까지 모두 말할 필요는 없습니다. 당신이 기억하고 싶은 순간, 특별한 의미로 남은 순간의 이야기를 선택하면 되죠. 따분한 일부터 인상 깊은 일까지 우리에게 행복감을 선사하고 뭔가를 시사하거나 쉬어 가도록 해주는 모든 것들이 소소한 이야깃거리예요. 여기서 핵심은 우리의 나날을 기록하는 겁니다. 우리 집과 일상, 우리가 세상을 살아가는 방식, 우리에게 울림을 주는 것들, 우리가 사랑하는 사람들과 그들을 바라보는 우리만의 관점까지, 소소한 이야기의 핵심은 반복되는 일상에서 마법을 발견하는 겁니다. 우리의 마음을 즐겁게 하지만 자칫 간과하기 쉬운 디테일 말이죠. 소소하다고 해서 중요하지 않은 게 아네요.

일상의 마법이 우리 각자에게
의미하는 바는 다르겠지만
별것 아닌 순간이든 중요한 순간이든
언제나 거기 있는 것만큼은 분명해요.

나의 이미지 스토리텔링은 소위 '365 챌린지'와 함께 시작됐습니다. 1일 1사진, 즉 매일 하루 한 장씩 사진을 찍기로 결심한 거죠. 나는 이 사진들을 어느 누구와도 공유하지 않고 내 휴대폰에만 저장해 뒀어요. 당시 내게 중요했던 건 최종 결과물이 아니라 과정 그 자체였습니다. 하루하루를 보내는 동안 관심을 기울이며 소소한 이야기를 발견하는 감각을 길러 갔죠. 시간이 흐를수록 흥미로운 이야기를 찾기가 훨씬 수월해졌어요. 심지어 가장 따분한 순간에서조차 발견할 수 있었습니다. 늘 일상의 마법을 찾아 헤맸는데 드디어 발견하기 시작한 거예요. 그 과정에서 더 창의적인 관점을 갖게 되었고 사진 찍는 요령 역시 늘었으며 더 행복해지기도 했습니다.

매일 사진 찍기에
도전해 보세요

이 책을 읽는 동안 당신만의 매일 사진 찍기 챌린지를 시작해 보세요. 1년이 너무 길게 느껴진다면 한 달, 혹은 한 주 동안 매일 사진을 찍는 겁니다. 여기에 매일 일기 쓰기도 함께 할 수 있어요. 사진을 인화하거나 폴라로이드 카메라로 찍어서 일기장에 붙여 보세요.

당신의 사진 찍기 챌린지에 테마를 정하는 것도 좋을 거예요. 이를 테면 음식, 색채, 아침, 날씨처럼요. 당신에게 맞는 기간과 테마를 선택해 보세요. 하루하루 살아가며 맞닥뜨리는 소소한 이야기에 눈을 뜨게 되면 일상의 마법을 알아차리기 시작하고 결국 이것들을 어떻게 포착하면 좋을지 고민하게 될 겁니다.

한 주, 한 달, 혹은 1년이 지나 챌린지를 완수하고 나면 천천히 되돌아보는 시간을 가지면서 당신이 찍은 사진들의 패턴을 발견해 보세요.

이 같은 훈련을 마친 이후 느낌이나 관점에 변화가 생긴 게 있나요?

마법은 우리가 당연하게 여겨서 무심코 지나치는 사소한 순간에 발견됩니다. 단순한 일과를 보내는 와중에도 눈에 보이는 것의 이면을 꿰뚫어 보고 의미, 진실 혹은 기적을 포착하는 법을 배울 수 있어요. 이렇게 하루하루를 좀 더 가까이서 들여다보면 영원을 엿보게 될지도 모릅니다.

아침에 집을 나서는 가족에게 입을 맞추고, 햇빛이 내리쬐는 거리를 걸으며, 고된 하루를 보내고 집에 돌아와 코트를 걸어 두는 등 지극히 일상적인 순간에는 당신 삶의 다른 지점들뿐 아니라 이미 지나간 다른 삶도 묻어 있습니다. 우리는 서로의 이야기가 계속해서 복잡하게 얽히고설키는 거미줄의 일부라고 할 수 있어요. 다른 이들의 이야기를 읽거나 볼 때 우리의 인지 감각을 자극하는 건 거친 모험이 아닌 단순한 순간들입니다. 다른 이들의 삶을 우리 삶에 비춰 보는 평범한 방법을 통해서도 그들을 더 가깝게 느끼고 알아보며 또 공감할 수 있어요. 이처럼 우리의 소소한 이야기는 특별하지만 그와 동시에 보편적이기도 합니다.

일상의 마법이 우리 각자에게 의미하는 바는 모두 다르겠지만 일단 들여다보기로 마음먹으면 자꾸만 눈에 들어오는 순간들의 공통점을 발견할 수 있습니다.

매일을 조금 더 세심하게 바라보면
일상의 마법을 발견할 수 있어요.

고요한 순간

고요한 순간은 마법과 같습니다. 시간을 온전히 느낄 수 있기 때문이죠. 새벽녘 주방에 앉아 먹는 오트밀 한 그릇, 버스를 기다리는 동안 꺼내 읽는 책 한 권, 아침 출근길의 빈자리, 점심시간 공원을 산책하다 벤치에 앉아 먹는 샌드위치, 고된 하루를 마치고 뜨거운 욕조에 몸을 담그는 순간까지, 이렇게 고요한 순간 생각에 오롯이 집중할 수 있습니다. 고요한 순간의 이야기가 우리를 잡아끄는 건 많은 이들에게 평화로운 순간이 값지기 때문입니다.

집안일의 순간

하찮게 여기기 쉽고 심지어 못마땅하기까지 한 집안일의 순간들 역시 일상의 마법을 품고 있습니다. 설거지할 때 춤추는 비누 거품, 파란 하늘을 배경으로 산들거리는 옷가지, 현관에 줄지어 있는 진흙투성이 작은 부츠들, 비스킷이 오븐에 들어간 뒤 식탁 위에 어질러진 밀가루까지, 매일같이 반복되는 집안일에서 마법을 발견한다면 집안일을 대하는 우리의 마음도 더 좋아질 거예요.

연결의 순간

문득 다른 사람과 연결돼 있는 듯 느껴지는 순간이 있어요. 그 사람이 곁에 있든 아니든 말이에요. 아이의 손을 잡고 등교하는 길, 멀리 사는 친구로부터 온 이메일, 할머니가 갖고 계시던 브로치, 배우자와 함께 하는 저녁식사까지, 이런 순간들이야말로 우리의 소소한 이야기가 사랑하는 사람의 이야기와 만나는 지점이라고 할 수 있죠.

도피의 순간

이따금 우리를 추억 속이나 상상, 꿈의 나라로 날아오르게 해주는 순간이 있어요. 어떤 사물이나 사진을 보고 사랑하는 사람이나 장소를 떠올리게 되는 순간이죠. 소설, 팟캐스트나 영화가 그 역할을 해줄 수도 있고요. 어쩌면 버스 한쪽 면에 게재된 광고를 보고 저 멀리의 해안을 꿈꾸게 될 수도 있어요. 이런 순간은 잠시나마 지금 이곳을 떠나 여유를 갖게 해주는 마법을 부립니다. 설사 그게 상상에 지나지 않는다고 해도 말이죠.

아침 식사의 순간을
포착해 보세요

일상의 마법을 포착하는 연습은 당신이 하루를 시작하는 아침 식사와 함께 시작할 수 있어요. 이를 위해 아침 식사 사진을 두세 장 정도 찍어 주세요.

◆ 빛은 사진가에게 가장 중요한 도구예요. 사진을 찍을 때 명심해야 할 황금 법칙은 웬만하면 인위적 조명이 아닌 자연의 빛을 이용하라는 겁니다. 가능하다면 머리 위 전등을 끄고, 혹시 카페에 있다면 창가 테이블을 선택하세요. 빛이 어느 쪽에서 오는지 파악하고 당신의 아침 식사가 이루어지는 공간을 어떻게 감싸는지 관찰해 보세요. 어떤 게 부각되나요? 사진에 그늘이 지지 않도록 자리 잡을 수 있겠어요?

◆ 어떤 각도로 찍을지 신중하게 선택하세요. 카메라를 음식 위쪽으로 똑바로 들어 찍거나, 정면에서 찍거나, 당신이 앉아 있는 자리에서 자연스럽게 각도를 잡아 찍을 수 있죠. 당신의 이야기를 가장 잘 포착할 수 있는 각도를 찾을 때까지 실험을 해보세요.

◆ 사진에는 '홀수의 법칙'이라고 하는 단순한 법칙이 있어요. 어떤 이미지를 연출할 때 핵심이 되는 피사체, 가령 컵, 그릇, 스푼 같은 걸 홀수로 배치하는 게 좋다는 거죠. 3개 혹은 홀수의 피사체가 우리의 눈을 편안하고 즐겁게 해 줘요.

◆ 빼기도 해보세요. 사진은 여백이 있을 때 이야기가 더 잘 전달 돼요. 피사체 한두 개를 빼면서 느낌이 어떻게 달라지는지 살펴보세요.

◆ 좀 지저분해도 괜찮아요. 당신은 아침 식사를 하는 지금 이 순간을 이야기하고 있잖아요. 테이블에 부스러기를 흘렸거나 스푼에 오트밀이 묻었거나 설탕을 좀 흘렸어도 모든 게 이 순간을 이야기하고 있어서 보는 이를 끌어들여요. 생생하게 살아 숨 쉬는 징표들을 포착해서 사진에 담아 보세요.

◆ 당신이 가장 중요하다고 생각하는 피사체에 초점을 맞추세요. 휴
   대폰 카메라라면 그 부분의 액정 화면을 톡 두드리면 되죠.

◆ 진심을 담아 사진을 찍으세요. 아침 식사를 하는 이 순간을 이야
   기할 때 기분은 어떤지 스스로 알아차려 보세요.

◆ 아침 식사를 하는 순간을 일주일간 매일 사진 찍으면서 뭐가 다
   르고 또 뭐가 같은지 비교해 보면 어때요?

나는 사람들을 이야기 안으로 끌어당기는 건 진실이라는 걸 배웠어요. 이야기는 솔직하게 전달할 때 강력한 힘을 발휘하지만 그 속에 있는 진실을 전부 드러내는 게 두려울 때도 있죠. 이럴 땐 작은 것부터 시작하는 게 도움이 됩니다. 우리의 삶 전체를 이야기하는 게 아니라 우리 삶의 소소한 이야기를 하는 것뿐이니까요. 소소한 어느 순간의 진실을 이야기하는 건 중요한 사건을 이야기하는 것보다 두려움이 훨씬 덜할 거예요.

소소한 이야기가 꼭 여행이나 파티처럼 특별한 이벤트를 기념할 필요는 없어요. 아무리 별 볼 일 없는 평범한 날이라도 이야기를 발견하는 게 중요하죠. 당신 삶에 재미있는 일은 하나도 없는 것처럼 느껴지는 한겨울의 비 오는 어느 날엔 이런 게 더 힘들게 느껴질 수 있어요. 하지만 아무리 별 볼 일 없는 날이라도 발견되길 기다리는 소소한 이야기가 존재하고 있어요. 모든 삶에는 기쁨과 슬픔, 환희와 아픔이 존재하지만 중요한 건 그사이에 놓여 있는 시간의 구간, 즉, 아름답고 평범한 날들이에요. 우리 삶의 이야기를 전할 때 거창한 서사는 필요 없어요. 나는 당신이 대서사 문학 작품을 집필하길 바라지 않아요. 내가 원하는 건 작은 것부터 시작해 당신 삶의 소소한 이야기를 하면서 이야기를 만들어 가는 거예요.

이제 관심을 기울이기 시작할 때입니다.

진심이 담긴 소소한 이야기는 마음이 없는
거창한 서사보다 늘 더 강력한 힘을 지닙니다.

chapter 2

나의 관심이
향하는 곳을
알아야 해요

'지금 이 순간'에 관심을 기울여 보세요

영어에서는 관심을 주지^{give} 않고 낸다^{pay}고 표현해요. 마치 거래의 한 형태라도 되는 것처럼요. 사실 홍보 담당자나 브랜드 기업의 입장에서는 관심이 곧 돈으로 직결되죠. 그들은 관심을 끌거나 사로잡는 게 목표인 만큼 잡지나 소셜 미디어 게시물, 혹은 아침 출근길을 온갖 광고물로 도배해요. 우리의 관심을 차지하기 위해 끊임없이 다투고 경쟁하는 거죠. 관심을 단단히 붙들고 있는 건 우리의 책임입니다. 치열하게 지키다 내줄 땐 신중해야 해요. 우리의 관심이 어디에 어느 정도로 향해 있는지 알게 되면 이 순간에 좀 더 충실할 수 있고 그래서 삶의 매 순간을 좀 더 의식적으로 살 수 있어요. 잠시 멈춰 보고 싶거나 놀라운 마음이 들 정도로 관심이 생긴다면 그때야말로 전하고 싶은 소소한 이야기를 발견한 순간입니다.

심리학 교수이자 『몰입^{Flow}』의 저자인 미하이 칙센트미하이는 관심을 '심리적 에너지'라고 표현했어요. 빛줄기처럼 한곳에만 집중된 관심과 흩어지고 분산된 관심 사이의 차이점을 밝히기도 했죠. 우리의 관심에는 내재된 힘이 있어요. 어디로 어떻게 쏟느냐에 따라 삶이 개선될 수도 있고 또 불행해질 수도 있죠.

칙센트미하이에 따르면 나 자신은 관심을 어떻게 쏟느냐에 따라 창조됩니다. "기억, 생각과 느낌은 모두 어떻게 사용하느냐에 따라 형성되니까요." 관심은 소중하고 또 한정적이기도 해요. 관심을 기울이는 방식은 우리의 경험뿐 아니라 우리가 누구인지도 결정할 수 있습니다.

의도한 방식으로 관심을 기울이는 것은 마음 챙김의 철학과 실천에서 핵심적인 교리이기도해요. 크리스티나 펠드만과 윌렘 쿠이켄은 저서 『마음 챙김*Mindfulness*』에서 비슷한 은유를 사용해 "마음 챙김을 하려면 관심은 빛줄기처럼 쏟아야 한다. 어디에 빛을 비추고 또 어디는 어둠으로 남겨 둘지 선택해야 한다."고 적었죠. 이런 식으로 이미지를 떠올리자 나는 확실히 감을 잡을 수 있었어요. 익숙해 간과해 버린 것들의 무리 속에서 내 관심의 빛을 한순간 의식적으로 비추는 거죠. 관심의 빛은 그 면적과 밝기를 우리가 직접 조절할 수 있어요.

스토리텔링을 하며 겪은 내 경험에 비춰 볼 때 마음을 챙기는 방식으로 매 순간에 임하면 정신적으로 현실에 좀 더 충실하게 돼 내 삶의 소소한 이야기에 관심을 기울일 수 있습니다. 엄밀히 말하면 내가 마음 챙김을 실천한다고 할 순 없지만 본능적으로 실천했던 창작 과정이 마음 챙김 및 명상에서 사용하는 기법과 비슷하다는 사실을 갈수록 더 크게 깨달았어요. 나는 이 순간의 미묘한 차이에 깨어 있었고 내가 찾는 이야기, 즉, 예상하지 못했거나 잊혔거나 완벽하지 않거나 또 순간적인 이야기에 마치 빛줄기를 비추듯 관심을 기울이는 법을 배웠습니다.

내가 현재에 가장 충실할 때는 이른 아침 카메라를 챙겨 들고 안개 낀 숲속을 거니는 순간이다. 안개는 나의 감각을 둔하게 하기는커녕 오히려 더 민감하게 만든다. 색감은 더 선명하게 빛나고 소리는 더 분명하게 들리니까. 익숙하던 길 역시 낯선 공간으로 돌변하는 데다 안개에 잠식된 모든 것이 새롭게 느껴진다. 9월의 어느 아침, 막내아들을 학교에 데려다주는데 시야가 흐릿했다. 마을 언덕을 바라보니 안개로 뒤덮여 있는 게 보였다. 나무꼭대기에 구름이 걸려 있었다. 태양의 열기가 이내 모두 증발시켜 버릴 걸 알았기 때문에 나는 집에 돌아오자마자 카메라를 집어 들고 길을 나섰다. 언덕 위에 오르니 너도밤나무 사이에 은빛 안개가 여전히 잔뜩 끼어 있었다. 빛이 부드럽게 발산되면서 단풍이 나뭇잎의 섞인 초록을 더욱 빛나게 만들었다.

안개 낀 숲을 거닐 때 나는 다른 모든 것을 잊는다. 해야 할 일, 내일 일정 등 모든 게 의식에서 사라지고 얼굴에 와닿는 공기만을 느끼며 나뭇가지 사이로 비추는 희미한 햇빛을 지그시 바라볼 뿐이다. 안개는 모든 것의 경계를 지우고 스스로도 끊임없이 변화하며 세상을 신비로 물들인다. 몇 년 전, 11월의 어느 추운 날 아침 회색 안개가 자욱하게 끼어 있는데 혼자 숲속을 거니는 노신사를 만났다. 그는 카메라를 든 나를 보고 미소 짓더니 이렇게 말했다. "내가 가장 좋아하는 계절이 바로 지금이라오. 정말 아름답죠?" 모두가 볼 수 있는 건 아니지만 11월의 안개 낀 아침은 정말이지 고유한 신비를 품고 있다. 나는 웃으며 그렇다고 답했고 우리는 서로 지나쳐 갔다. 이후 당시의 짧았던 연결감을 떠올렸을 때 나는 안개의 아름다움을 항상 느낀 건 아니라는 사실을 깨달았다. 시간이 흐르면서 내게 안개의 아름다움을 가르쳐 준 건 바로 카메라였다. 뷰파인더를 들여다보고 있으면 잠시 멈출 수밖에 없다. 빛을 좇다 보면 안개가 어떻게 빛을 분산시키는지 이해할 수 있었고, 화면 구성을 어떻게 할지 고민하다 보면 이 장면을 빛내 줄 디테일을 찾게 되었다. 한손에 카메라를 들고 안개 속을 거니는 건 하루를 고요하고 사색적으로 시작하는 마음 챙김의 경험이다.

마음 챙김의 방식으로 스토리텔링에 접근하면 일상의 마법이 숨어

있는 순간에 더 가까워질 수 있어요. 작가이자 선불교 승려였던 틱낫한은 마음 챙김을 '일상의 매 순간을 깊이 있게 어루만지는 행위'라고 정의했습니다. 마음 챙김을 경험하려면 "삶이 기적이라는 사실, 우리가 여기 있고 우리의 삶을 깊이 있게 살아야 한다는 사실을 기억해야 한다."고 적었죠. 그는 우리 주변의 세상을 알아차리는 것뿐 아니라 우리 몸의 감각 역시 중요하다고 강조했습니다. 안개 긴 날 산책하는 것처럼 별로 대단할 것 없는 경험도 우리의 인식을 바꿔 더 깊이 있는 삶으로 이끌어 줄 수 있어요. 일상의 한 순간이 깊이 있는 삶을 만들어 주는 기적이 될 수 있다는 거죠. 우리의 감각, 그리고 우리 삶의 일상에 한층 더 깨어 있으면 지금의 순간을 경험하는 방식이 달라집니다. 마음 챙김의 방식으로 삶을 경험하면 우리 주변의 세상을 더 잘 인식할 수 있고요.

'지금 여기'
연습을 해봅시다

'지금 여기' 연습을 한 번 해봅시다. 이 방법이야말로 당신의 모든 감각을 동원해 지금 이 순간을 의식적으로 경험하는 최고의 방법이죠. 다음 질문에 답해 보세요.

- 뭐가 보이나요?
- 뭐가 들리나요?
- 어떤 촉감이 느껴지나요?
- 주위에 어떤 질감이 있나요?
- 신체적으로 어떤 기분이 드나요? (허기, 통증 등)
- 어떤 냄새가 나나요?
- 공기의 온도와 습도는 얼마나 되나요?
- 빛은 얼마나 밝은가요?

◆ 지금 여기서 또 어떤 감각이나 느낌이 감지되나요?

이 질문들에 대한 답을 당신의 일기장에 적어 보세요.

글쓰기를 명상하는 방식으로 접근하면 당신의 소소한 이야기를 하는 데 많은 도움이 될 거예요. 먼저 글쓰기를 시작할 대상을 선택해 보세요. 나는 빈 공간으로 남아 있는 당신의 노트를 추천할게요. 쓰기 전에 잠시 시간을 가져 보세요. 당신 앞에 놓인 노트의 페이지가 다정한 공간, 심지어 내가 오길 기다리는 공간이라고 여기는 거예요. 이 공간이 지니는 온갖 가능성에 마음을 열고 당신을 둘러싼 상황과 내면의 소리를 천천히 들어 보세요.

글쓰기를 위해서는 명상과 마찬가지로 주위를 소란스럽게 하는 것들을 피해야 해요. 이를테면 언제나 곁에 있는 인터넷의 유혹 같은 걸 뿌리칠 수 있어야 하죠. 만약 당신의 마음이 떠돈다면 차분하게 다시 노트로 돌아오세요. 글쓰기를 명상처럼 접근한다는 건 생각하기 위해 잠시 멈추는 걸 받아들이는 거예요. 단어가 떠오르기를 기다리는 동안 경직된 감각 같은 게 느껴지나요? 단어 사이의 공백에서 평화를 발견하려면 의식적인 연습이 필요해요. 글쓰기는 명상처럼 내면을 지향하는 행위로써 우리 자신을 돌아보고 가장 진실한 자아를 표현하게 해주죠. 이 두 가지를 주기적으로 연습하면 가장 큰 효과를 볼 수 있을 거예요.

『아티스트 웨이*The Artist's Way*』라는 책의 저자이자 동명의 창의력 코스를 주관하는 줄리아 카메론은 글쓰기를 하고 싶다면 소위 '모닝 페이지'라고 하는 루틴을 가져야 한다고 주장합니다. 모닝 페이지는 매일 아침 의식의 흐름에 자신을 맡긴 채 글쓰기를 하는 행위예요. 그녀는 모닝 페이지 자체가 '통찰의 빛'을 제공하고 우리 삶에 변화를 일으키는 명상의 한 형태라고 여겼죠. 나는 앉아서 글 쓰는 연습을 꾸준히 하면 할수록 노트의 다음 장을 넘겨 아무것도 쓰여 있지 않은 새 쪽을 보거나 노트북에서 빈 문서를 열고 화면 속 커서가 깜빡이는 걸 지그시 바라보기만 해도 평화로운 상태가 된다는 사실을 깨달았습니다.

계절마다 창밖 풍경을
관찰해 보세요

계절의 변화에 의도적으로 관심을 기울이는 건 순간의 미묘한 차이를 알아차리는 법을 터득하는 좋은 방법입니다. 우리가 일상을 살아가는 와중에도 계절은 늘 쉼 없이 흘러가며 점진적이고 미묘한 방식으로 모든 것을 바꾸죠. 여기서는 글쓰기 주제로 쓸 창을 하나 선택해 보세요. (집이나 직장, 혹은 당신이 주기적으로 시간을 보내는 곳 어디든 좋아요.) 창문은 액자의 프레임, 창밖 풍경은 끊임없이 변화하는 그림이라고 상상하면서 관찰해 보세요.

시간을 들여 창밖 풍경을 바라보세요. 어떤 풍경이든 천천히 여유를 갖고 빠져들어 보는 겁니다. 창문을 통해 보이는 풍경을 당신의 노트에 한번 묘사해 보세요. 글쓰기의 무게 중심이 지금 이 계절, 이 순간에 놓이도록 애써 보세요. 계절을 직접적으로 언급하지 않고 표현하려면 어떤 구체적 사실이 포함돼야 할까요? 날씨, 하늘, 빛의 강도와 방향, 색상 톤, 자연의 뚜렷한 변화, 사람들의 옷차림과 풍경을 보며 어떤 감정이 일어나는지 느껴 보세요. 원한다면 이 풍경을 사진으로 기록해도 좋아요. 당신의 글 옆에 붙여 둘 수 있는 사진이면 금상첨화겠죠.

한 해를 보내는 동안 마음이 동할 때마다 당신의 노트에 이 연습을 지속해 보세요. 그러면 계절의 미묘한 흐름을 제대로 볼 수 있게 되면서 그 풍경에 완전히 빠져들어 프레임 안의 모든 것에 관심을 쏟게 될 겁니다. 당신의 창밖으로 보이는 봄, 여름, 가을과 겨울의 풍경뿐만 아니라 계절의 경계에서 보이는 풍경에도 관심을 가져 보세요. 여름이 서서히 가을로 넘어가고 또 겨울이 봄으로 넘어가는 변화의 지점을 발견해 보세요.

사진도 글쓰기처럼 날아가는 순간을 포착해 주는 도구예요. 순간을 흘러가는 시간 속에서 끄집어내 후세를 위해 보존하는 거죠. 카메라는 렌즈 앞에 존재하는 걸 기록하지만 그 뒤에 서 있는 사진가의 뭔가를 기록하기도 해요. 어떤 면에서 사진은 모두 자화상이라고 할 수 있어요. 그걸 찍는 사진가의 마음과 느낌을 들여다보게 해주니까요. 우리는 카메라로 포착한 모든 이미지에 엄청난 양의 감정적 지문을 남긴답니다.

명상적 순간을 카메라로 포착하면 시간이 지나서도 같은 순간으로 돌아올 수 있어요. 사진은 마치 타임머신 티켓 같아서 포착된 바로 그 순간으로 되돌아가 다시금 경험하게 해주죠. 셔터를 누르기 직전에 겪었던 구체적 현실을 떠올리게 해주고 원한다면 몇 번이고 그 순간에 다시 살게 해주는 거예요. 내가 디지털 기기에 저장된 사진을 주기적으로 인화하는 이유가 바로 이겁니다. 그 사진들이 가져다주는 기쁨에 질릴 일은 결코 없으니까요. 내 손 안에 실재하는 순간을 꼭 붙드는 것이야말로 내가 아는 한 가장 마법에 가까운 행위입니다.

지난 수년간 매일같이 사진을 찍으면서 세상을 다르게 보는 법을 배웠다고 믿어요. 사진은 단순히 쳐다보는 게 아니라 적극적으로 바라보도록 해주거든요. 쳐다본다는 건 시선을 특정 방향으로 향하게 한다는 뜻이지만 바라보는 건 인지하고 상상하며 인정하고 이해하는

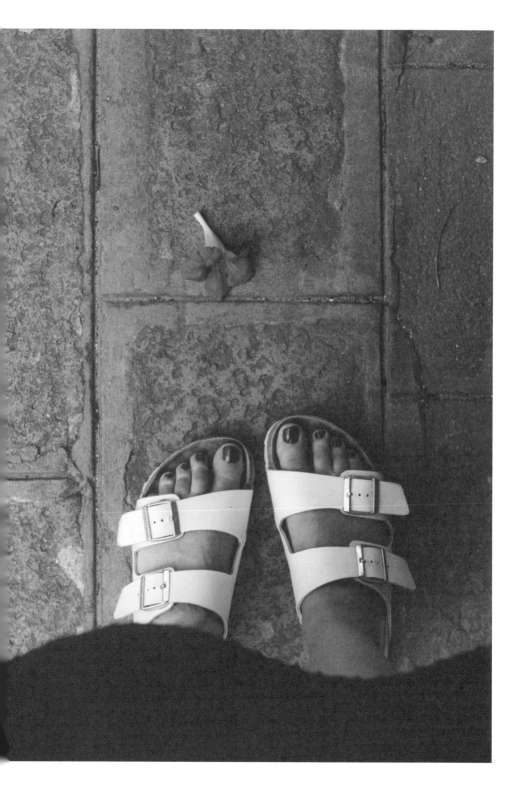

걸 의미합니다. 지금 이 순간에 세심한 관심을 기울이고 꾸준히 집중하는 것이야말로 사진 찍기의 출발점이에요. 그에 힘입어 바라보는 능력이 꾸준히 향상되고 그렇게 해서 바뀐 인식이 우리의 일부가 되는 것이죠. 이제 나는 카메라를 갖고 있지 않을 때도 내게 이야기를 들려주는 뭔가를 발견하면 마음속으로 이미지를 구성합니다. 이때는 시각뿐 아니라 우리의 상상력까지 동원해야 해요. 내게 마음 챙김의 사진 찍기는 사진 찍는 감각을 훈련하는 게 아니라 이미지를 구성하며 느끼는 나의 감정을 인지하는 법을 배우는 겁니다. 이 느낌을 내 카메라와 어떻게 소통할지 고민하고 그래서 어떤 이야기를 할지 결정할 수 있도록 말이에요. 중요한 건 카메라가 아닌 마음으로 사진 찍는 법을 배우는 거죠.

마음 챙김은 이 순간에 적극적으로 존재할 뿐 아니라 매 순간을 있는 그대로 알아차리고 이해하는 것의 중요성을 강조합니다. 마음 챙김 기술을 통해 매 순간을 좀 더 깊이 있게 경험하는 (그래서 이야기를 더 잘 포착하고 이야기하는) 능력을 발달시킬 수 있지만 스토리텔링은 단순히 지금 이 순간의 활동에 국한되지 않는다는 점에서 마음 챙김과는 달라요. 우리는 현재에 존재하며 연습을 통해 이 순간의 경험에 집중하는 법을 배울 수 있지만 스토리텔링을 위해서는 순간들의 관계역시 인지할 수 있어야 합니다. 지금은 이내 과거가 되어 버리고 우리의 목표는 미래의 자신을 위해 이 순간의 뭔가를 포착하는 거죠. 이 순간을 우리는 단순히 살기만 하는 게 아니라 돌아보기도 하고 나중에 떠올릴 수 있도록 글과 이미지로 기록하기도 합니다. 스토리텔러들은 상당히 중요한 서사를 엮어 순간과 순간, 이야기와 이야기를 연결하죠. 온갖 사건과 경험, 느낌과 아이디어들을 연결하는 거예요. 우리 같은 스토리텔러들은 이런저런 생각과 추억에서 안정감을 느낍니다.

글로 적어 둔 순간은 기억할 확률이 더 높은데 이는 사진도 마찬가지입니다. 내가 시간을 들여 구도를 잡고 이미지를 구성한 대상은 카메라 메모리 카드뿐 아니라 내 기억에도 오래도록 남게 돼요. 물론 완전히 잊고 있다 오래된 상자 밑바닥에서 나뒹굴거나 오래된 노트 사이에 끼워져 있는 사진을 발견한 뒤에야 떠올리게 되는 순간이 더 많기는 하지만요. 글과 사진이 순간을 기록하기에 완벽한 도구는 아닐지 몰라도 현존하는 최고의 도구인 건 분명합니다.

사진가 아론 시스킨드는 "당신이 모든 걸 까맣게 잊은 후에도 사진은 사소한 것들까지 기억한다."고 말했는데 나는 글도 마찬가지라고 이야기하고 싶습니다. 순간의 미묘한 차이를 알아차리고 사소한 것들을 관찰하고 싶었지만 사실 그것만으로는 부족했어요. 나의 이야기를 모으고 싶은 충동, 순간들을 수집하고 기록하고 싶은 충동이 나의 고유한 일부니까요.

마음 챙김
사진 산책을 해보세요

사진 산책이란 산책하며 이 순간을 사진으로 기록하는 걸 의미합니다. 연습을 위해 카메라를 들고 산책에 나서 보세요. 사진 산책에는 기능이 단순한 카메라가 가장 좋아요. 괜히 카메라 설정에 신경 쓸 필요 없이 오로지 보이는 것에만 집중하게 해주거든요. 그래서 휴대폰 카메라나 폴라로이드 카메라를 추천합니다.

중요한 건 어디를 걷느냐가 아니라 어떻게 걷느냐예요. 익숙한 경로를 선택했다면 그 순간의 계절과 빛을 온전히 느끼며 걸어 보세요. 걷다가 눈에 띄는 변화나 유난히 눈길이 가는 것이 있으면 카메라를 이용해 사진 찍는 겁니다. 아니면 한 번도 가 본 적 없는 곳을 걸으면서 새로운 발견을 해 보는 것도 좋아요. 걸을 때마다 마음을 고요히 하고 당신이 지나가는 길 주위를 세심하게 관찰하며 이 순간의 감각에 집중하도록 하세요. 그냥 쳐다보기만 하지 말고 의식적으로 바라봐야

한다는 걸 잊지 마세요. 당신의 마음을 움직이는 건 무엇이든 사진 찍고 당신에게 특별하게 다가오는 것들을 기록하세요.

사진으로 뭔가를 기록하고 싶다면 잠시 멈춰 자리를 잡으세요. 심호흡을 하고 주의를 분산시키는 것들을 모두 걸러 낸 뒤 프레임 속 대상에만 집중하세요. 거기에 좀 더 다가가거나 멀어지거나, 카메라를 높이 쳐들거나 낮추는 등 이런저런 시도를 하면서 구도를 잡아 보세요. 당신의 눈길을 사로잡은 이야기를 가장 잘 들려줄 구도를 찾을 때까지요. 이 순간 흥미롭게 다가오는 건 무엇이든 사진에 담되 도무지 흥미가 생기는 게 없다면 다음의 테마를 염두에 두고 찾아보세요.

- 누군가 지나간 흔적
- 고개 들어 보기
- 고개 숙여 보기
- 질감
- 부패
- 빛의 패턴
- 성장
- 뜻밖의 발견

chapter 3

기록은
내면을 들여다보는
도구예요

이야기는 나 자신으로부터 시작돼요

우리 스토리텔러들은 세심하게 관찰하고 주의 깊게 들으며 성실하게 기록하는 등 늘 바깥세상에 집중하지만 나만의 이야기를 들려주기 위해 내면을 들여다보기도 해요. 에세이 〈일기를 쓰는 것에 관해On Keeping a Notebook〉에서 조앤 디디온은 "나다운 게 어떤 건지 기억하기 위해 일기를 썼다. 언제나 그게 핵심"이라고 적었죠. 나는 이 문구를 적어 책상 위에 꽂아 두었어요. 나다운 게 어떤 건지 기억하라. 이 문구는 타고난 기록자인 내가 항상 일기를 쓰고 사진을 모으며 이야기를 끄적이는 이유를 대변해 주었어요. 지금 이 순간 나의 기분은 어떤지, 나는 누구인지, 나답다는 건 무슨 뜻인지 기록하는 거죠. 우리가 기억, 정보, 생각, 관찰한 내용 등을 적어 내려가는 건 끊임없이 변화하는 자아를 연결해 내가 누구인지 기록하기 위해서예요. 과거의 자아를 노트 사이사이에 말린 꽃잎을 찾는 것처럼 다시 찾아보며 과거엔 어땠는지 기억하기 위해서 말이죠.

사진, 특히 자신의 모습을 사진 찍는 것도 같은 이유예요. 예를 들어 환상적인 경관, 혹은 최근 등반한 산 정상을 배경으로 햇볕에 잔뜩 그을린 자신의 얼굴을 찍는 것도 기억하고 싶은 충동에서 비롯된 행동이죠. 지금 이곳, 이 경험과 가장 중요하게는 이 느낌을 간직하고 싶은 충동이요. 이곳이 지금 내가 있는 곳이며 이게 지금의 나임을 기록하는 겁니다.

우리가 소소한 이야기를 기록하는 건 지금 누구이고 과거에는 누구였으며 또 누가 되고 싶은지 기억하기 위해서예요. 특정 순간에 우리를 스쳐가는 감정, 인상과 감각적 경험을 포착해 그 순간 우리가 누구였는지 떠올릴 수 있기를 원하는 거죠.

이곳이 지금 내가 있는 곳이고
이게 지금의 나예요

사진을 통해 당신이 누구였는지
기억해 보세요

예전에 찍은 당신의 사진을 찾아서 보세요. 그 순간은 물론 느낌까지 포착한 사진 말이에요. 기껏해야 두세 달 전에 찍은 사진이어도 좋고 몇 년이 지난 사진도 좋아요. 당신의 모습이 담긴 사진이든 당신이 구도를 잡아 찍은 사진이든 상관없고요. 당신이 렌즈 뒤에 있었든 앞에 있었든 카메라 셔터를 누른 순간 당신이 어땠는지 떠올릴 수 있는 사진을 선택하세요. 그리고 세심하게 살피면서 다음 질문에 대해 생각해 보세요. 그 순간 당신은 어디 있었나요? 당신은 누구였고 어떤 기분이었나요? 그리고 그 순간을 돌아보는 지금은 느낌이 어떤가요?

이 사진에서 어떤 부분을 손보면 지금 이 순간까지 포착할 수 있을까요?

당신이 선택한 기록과 추억을 모두 모아 두면 진심이 담긴 그림이 완성됩니다. 이들을 돌아보면 지난 일들을 다시 생각하게 되면서 당신에게 진짜 중요한 게 뭔지 이해하고 당신의 의도 역시 더 분명하게 깨달을 수 있죠. 사진들이나 일기장을 훑어보면 당신의 모습을 찍은 사진뿐 아니라 모든 글, 모든 사진에 당신이 들어 있음을 발견하게 될 거예요. 여기서 공통분모는 언제나 당신입니다. 사진을 찍은 이도 당신, 글을 쓴 이도 당신이니까요.

일기는 내 삶의 이야기를 기록하고 편집하는 하나의 방식이에요. 내게 일기의 범주는 아주 광범위해요. 머릿속에 떠오르는 대로 노트나 다이어리에 휘갈겨 쓴 글, 사진 스크랩, 블로그나 인스타그램 같은 소셜 미디어에 공유한 글 등이 모두 일종의 일기죠. 형태야 무엇이든 일기의 핵심은 자신에게 진실해야 한다는 겁니다. 자기표현의 수단이니까요. 다이어리, 일기 및 회고록 집필 전문가인 트리스텐 라이너는 일기를 쓰는 이들에게 "빠르게 쓰고, 모든 것을 쓰고, 모든 것을 포함시켜라. 당신의 감정과 몸에서 느껴지는 그대로 쓰고 무엇이 떠오르든 받아들여라."라고 조언하죠.

사진 찍기 전 당신의 감정을 의식적으로 인식하면 그 순간에 더 충실할 수 있는 것처럼 일기를 쓸 때 내면을 들여다보고 느껴지는 그대로를 적으면 당신의 글에 더 큰 힘이 생겨날 겁니다. 이 같은 기술은 독자들에게 소소한 이야기를 들려줄 때도 도움이 될 수 있어요. 예를 들어 소셜 미디어에 게시 글을 올릴 때 느껴지는 대로 쓴다면 당신의 이야기는 분명 독자들의 공감을 사게 될 거에요.

내면을 들여다보고 당신의 감정에 초점을 맞추는 건 스토리텔링의 중요한 기술입니다. 사진을 찍기 위해 카메라를 집어 들면 지금 이 순간 당신의 느낌이 어떤지 잠시 멈춰서 살펴보세요. 카메라는 도구에 지나지 않습니다. 사진은 당신의 눈이 향한 곳에 마음이 멈출 때 만들어져요. 당신이 바라보고 포착하기로 한 대상에 당신의 감정이 담겨 있습니다. 예를 들어 혹시 지금 우울하다면 고요하고 쓸쓸한 광경에 눈길이 가겠죠. 길에 떨어진 꽃잎이나 빈 커피 잔처럼요. 반대로 즐거운 기분이라면 물 표면에 반짝이는 햇빛이 당신을 부를 거예요. 즐겁든 슬프든 우려하든 신중하든 당신이 이미지를 포착할 때 느끼는 감정이 그 이미지의 시각적 분위기를 결정한다고 해도 과언이 아닙니다. 수많은 요소가 합쳐져서 특정 이미지의 분위기를 구축하죠. 대상의 질감, 색채, 빛, 관점과 그날의 날씨에 이르는 모든 것이 영향을 미치는 만큼 이 요소들을 의식적으로 인지하는 게 스토리텔링 이미지 구축의 핵심이에요. 내가 사랑하는 대상을 사진으로 찍을 때 중요한 건 제대로 보이는가가 아니라 제대로 느껴지는가입니다. 글로 적는 이야기도 마찬가지예요. 특정 순간 나 자신을, 내가 누구인지를 더 잘 알게 되면 일기에 그와 같은 인식을 더 잘 드러낼 수 있습니다.

감정의 자연스러운 흐름을 스스로 인지하는 건 스토리텔링의 고유한 절차, 나아가 스토리텔링을 위한 독자적 목소리를 구축하기 위한 핵심 절차예요. 이는 조금은 더 수월한 절차, 즉, 당신의 감정을 스스로 인지하고 관리하는 방식으로 일기 쓰는 기술을 실험하는 데에도 도움이 됩니다. 긍정적 일기 쓰기라고 부르는 이 기술은 의도적으로 긍정적 감정을 일으키고 글을 쓸 때도 그 감정을 유지하는 걸 말해요. 이 기술의 잘 알려진 사례가 감사 일기 쓰기로, 나 역시 일기를 쓸 때 자주 활용하는 방법입니다. 긍정적인 태도를 유지하기가 유난히 힘들게 느껴지는 겨울에는 더 더욱이요!

감사 일기는 간단히 말해 스스로 감사한 것들을 돌아보고 일기장에 기록하는 행위입니다. 감사한 대상은 사람, 사물, 장소나 기억 등 무엇이든 될 수 있죠. 여러 가지 방법이 있지만 매일 감사한 것을 다섯 개에서 열 개 정도씩 정리해 보는 것으로 시작하면 좋아요. 나는 이따금 한 번씩이라도 감사한 일을 떠올리면 내 삶을 깊이 있게 돌아보게 되고 내 삶의 디테일에 관심을 기울여 감사한 일로 기억하는 습관을 들일 수 있다는 걸 깨달았습니다. 시간을 들여 감사한 것들을 적어 보면 내가 사랑하는 것들을 떠올릴 수 있는데 이때 사랑하는 마음은 중요하고 굵직한 것뿐 아니라 작고 사소한 대상으로까지 확대되죠. 당신의 삶에서 소소한 이야기를 기록하는 것도 그 자체로 감사하는 연습의 한 형태라고 볼 수 있어요. 정말 사소한 순간도 기억할 만하다고 인식하는 게 사랑하는 마음으로 다가가는 것이니까요.

감정의 관점에서
일기를 써보세요

일기를 쓸 때 특정한 감정의 관점에서 한번 써보세요. 긍정적 감정 (감사, 기쁨, 행복 등) 중 하나를 선택한 뒤 이 감정의 렌즈를 통해서만 세상을 바라보고 기록하는 겁니다. 아래의 연습 문제를 참고하는 게 도움이 될 거예요.

◆ 하루 중 당신이 선택한 긍정적 감정이 느껴지면 그 감정에 집중 하면서 지금 시각, 청각, 촉각, 미각과 후각으로 느껴지는 것을 써 보세요. 이 감각의 경험을 최대한 구체적으로 일기장에 쓰세요.

◆ 당신이 선택한 긍정적 감정을 일으킬 물리적 대상이 뭔지 찾아보 세요. 예를 들어 소중한 누군가가 준 부드러운 조약돌이 당신에 게 행복을 줄 수도 있죠. 이 대상을 사진으로 찍고 (가능하면 인화해

서 당신의 일기장에 붙인 뒤) 당신에게 무엇을 의미하는지 이야기로
써보세요.

◆ 당신이 선택한 감정을 과거에 경험했던 순간이 있는지 기억해 보
세요. 그와 같은 경험에 대해 일기장에 적어 보세요.

◆ 당신이 선택한 긍정적 감정을 당신의 삶으로 어떻게 더 많이 끌
어올 수 있을까요? 당신의 의도, 그리고 꿈에 어떻게 연결할 수
있을까요? 이에 대해 일기장에 적어 보세요.

◆ 이 긍정적인 감정을 매일같이 떠올리고 적을 수 있도록 노력해
보세요. 최소 일주일은 계속해야 합니다. 주말이 되면 당신의 감
정 혹은 글에 어떤 식으로든 변화가 생겼는지 살펴보세요. 이제
이 감정을 더욱 강하게 느끼기 시작했나요? 그렇다면 연습을 좀
더 지속하는 게 좋을 거예요.

이 같은 연습 문제를 한 개 이상 완료했다면 또 다른 긍정적 감정을
선택해 반복해 보세요. 혹은 매일같이 연습하는 기간을 더 늘려서 일
기장에 쓰기와 스토리텔링을 병행하는 것도 방법입니다.

일상에서 보지 못했던 것을 보고 감흥을 찾아내려면 알아차리는 기술을 단련해야 합니다. 지금 기분이 어떤가요? 당신의 감각은 무슨 이야기를 해주나요? 당신의 시선을 이끄는 건 무엇인가요? 오로지 당신만 관심을 갖는 대상은 무엇인가요? 근력을 키우는 것처럼 알아차리는 기술을 연마하는 데에는 시간과 노력이 필요합니다. 나는 가까이서 면밀히 들여다보고 세상에 열려 있는 법을 배움으로써 지극히 평범한 일상에서 아름다움을 발견하는 기쁨을 깨달았어요.

나의 일상이 너무나 평범하고 보잘것없어서 할 만한 이야기라고는 전혀 없는 듯 느껴지던 때가 있었습니다. 그때 나는 갓난아기와 어린 아이를 키우면서 잠도 제대로 자지 못했고 그야말로 낮잠과 수유만 반복하는 멍한 날들의 연속이었죠. 반복되는 일과는 나를 바보로 만들어서 내게는 재미있는 일이 전혀 없다고 생각했어요. 그러다 아이들이 잠든 어느 여유 시간에 인터넷에서 나와 비슷한 상황의 사람들이 글과 사진으로 자신의 삶을 포착한 게시물들을 찾아보기 시작했어요. 덕분에 나의 일상을 좀 더 섬세하게 들여다보며 세상을 새로운 시각으로 바라보는 법을 배울 수 있었죠. 몇 년 만에 처음으로 카메라를 집어 들었고, 왠지 모르게 끌리는 것들을 조심스레 끄적여 보기 시작했어요. 그렇게 본래의 나를 찾아준 창작의 여정을 시작했습니다. 그리고 흥미로운 이야기를 만드는 건 드라마나 액션이 아니라 얼마나 집중해서 섬세하게 관찰하느냐라는 사실을 깨달았죠. 우리의 삶은 소소한 이야기로 가득하고 우리는 모두 고유한 관점을 갖고 있습니다. 이야기를 전달하기 전, 우리는 반드시 관찰하는 법부터 배워야 해요.

당신만의 소소한 이야기를 기록하는 것은 자기 성찰은 물론, 내면을 수양할 수 있는 행위입니다. 당신의 삶에 관한 이야기를 함으로써 당신을 좀 더 명확하게 바라볼 수 있죠. 세상을 면밀하게 들여다보고 그에 관한 반응을 기록해 두면 당신이 한 경험을 훨씬 폭넓게 이해할 수 있어요. 당신의 이야기를 글이나 사진으로 기록한다는 건 자신을 포착하는 행위이기도 합니다. 나는 내 삶의 이야기를 기록함으로써 나만의 고유한 이야기를 발견하고 또 남길 수 있다고 믿어요. 마찬가지로 당신의 이야기 역시 어느 누구도 똑같이 흉내 낼 수 없습니다. 당신은 하나뿐이고 특별한 존재니까요. 이 고유성이야말로 우리가 받은 축복이죠. 내면을 세심하게 들여다보면 당신이 누구인지, 그리고 어떤 이야기를 하고 싶은지 더 잘 알 수 있어요. 당신만이 할 수 있는 이야기가 보이는 거죠. 당신의 흥미, 관심, 능력과 개성이 어떤 고유한 방식으로 결합돼 있는지 깨달으면 당신의 내적 자아가 품고 있는 창의력을 이끌어 낼 수 있게 됩니다.

내가 나만의 고유한 이야기를 전할 때 자주 애용하는 영감의 원천

을 당신에게 살짝 알려 줄게요. 당신이 어떻게 활용하면 좋을지도요. 일단 눈을 바깥으로 돌려보세요. 시선이 어디에 이끌리는지 인지하되 여기서 한발 더 나아가야 해요. 당신의 내면을 들여다보면서 그 대상에 끌린 이유를 찾아야 하는 겁니다. 그리고 전하기로 선택한 이 소소한 이야기가 당신의 자아와 어떻게 연관되는지도 자문해 보세요. 당신이라는 사람의 이야기와 어떻게 연결되는지 말이에요.

집

소셜 미디어를 통해 집을 보면 집이 영감보다는 감탄을 일으켜야 하는 것처럼 보여요. 하지만 티 하나 없이 깔끔한 공간은 도무지 재미가 없습니다. 나는 한 인테리어 잡지의 부편집장으로 2~3년 정도 일한 적이 있는데 잡지에 실리는 이미지 속 소품들에 집주인의 이야기가 숨어 있을 때 가장 크게 매료되고는 했습니다. 벼룩시장에서 발견한 보물, 여행 기념품, 해변에서 주운 조개껍데기, 사랑하는 사람의 사진들, 가족 대대로 전해져 내려오는 가구나 카펫 등이요. 당신의 집에도 너무 익숙해서 더 이상 인식조차 하지 않게 된 소품들이 있을 겁니다. 하지만 그 소품이야말로 풍부한 이야기를 품고 있어요. 집에서 당신에게 특별한 의미를 지니는 소품 한 가지를 선택해 관련된 이야기를 마음에서 우러나오는 대로 쓰고 그대로 받아들이세요. 카메라를 꺼내 모든 게 멈춰 있는 장면을 찍어 보세요. 창틀에 쌓인 책들이나 현

관에 내동댕이쳐져 있는 신발 한 짝, 탐스런 딸기 한 그릇 등 안락한 느낌을 주는 소품을 찾아 찍어 보세요. 이렇게 찍은 사진은 가족, 마음, 그리고 집의 이야기를 들려줍니다. 소품이 불러일으키는 감정을 인지하고 사진으로 포착해 보세요.

자연의 세계

자연의 세계는 계절에 따라, 어느 지역에 있는지에 따라 다르게 나타나지만 늘 영감을 준다는 건 똑같아요. 당신이 접하는 자연은 해변이나 숲일 수도 있고, 작은 공원이나 창틀의 화분일 뿐일 수도 있겠죠. 어떤 것이든 간에 색상과 질감, 전체와 부분을 세심하게 들여다보세요. 도토리, 작은 꽃과 같은 보물을 찾아 보세요. 카메라를 이용해 오늘, 여기의 이야기를 포착하세요. 유난히 돋보이는 색상, 눈길을 잡아끄는 질감, 머리 위 하늘과 발밑의 땅을 보면서 이 순간 느껴지는 감정을 인지해 보세요. 당신이 보고 있는 것의 이야기를 적거나 과거를 떠올리면서 그땐 하지 못한 이야기를 전해 보세요.

도시의 풍경

도시는 역동적인 공간입니다. 언제나 구경할 새로운 것이 있고 갈 만한 새로운 장소가 있으며 만나야 할 새로운 사람이 있죠. 도시의 풍경은 끊임없이 변화합니다. 여러 번 덧칠을 한 건물들은 여러 겹의 이야기를 품고 있어요. 끊임없이 변화하는 거리에는 심지어 이런 건물들이 가득하고요. 도시에서 겉모습의 이면을 들여다보고 거기서 찾은 이야기를 써내려가 보세요. 도시의 광경이 당신에게 무엇을 의미하는지 적는 겁니다. 숨겨진 구석구석을 탐험하고 당신의 도시에서 벌어지는 소소한 이야기를 찾아 보세요. 걷는 동안 카메라는 항상 손에 들고 다니며 도시의 질감과 독특함, 그리고 도시가 주는 뜻밖의 기쁨들을 포착해 보세요.

계절

계절의 흐름은 날씨, 풍경과 전반적인 분위기에 영향을 미칩니다. 계절의 변화는 언제나 새로운 영감을 일으키죠. 계절의 이야기에는 끝이 없어요. 모든 계절이 다르고 같은 계절이라도 해마다 다르니까요. 정확히 똑같은 여름이란 존재하지 않고, 중요한 건 당신이 지금 이 순간 머물고 있는 계절을 이야기하는 거예요. 그것도 구체적으로요. 날씨, 색감, 기온, 햇빛이 비추고 빗물이 떨어지는 방식에 대해 적어 보세요. 계절이 당신의 세상에 일으키는 변화를 관찰하세요. 당신의 감정을 이야기에 담고요. 카메라를 사용해 색감과 빛의 질을·관찰하고 이 계절에 겪은 경험과 기분을 포착해 보세요.

영감을 얻은 것이 무엇이든 우리는 언제나 우리 안의 이야기를 끄집어내요. 스토리텔링은 타인과 소통하는 수단이지만 자신을 발견하고 또 당신이라는 고유한 자아를 더 명확히 이해하는 수단이기도 합니다. 당신을 둘러싼 세상, 기쁨이나 즐거움을 탐색할 때 당신 안의 목소리에 귀 기울이는 것을 잊지 마세요. 나다운 게 어떤 건지 기억하라고 속삭이는 목소리를요.

영감 비전 보드를
만들어 보세요

영감 비전 보드를 만들기 위해 큰 사이즈의 종이나 아무것도 안 적힌 노트 두 페이지, 잡지 5~10권, 가위와 접착제를 준비하세요. 잡지 대신 이미지 검색 어플인 핀터레스트(www.pinterest.com)를 활용해도 좋습니다. 비전 보드를 만드는 과정은 아주 간단해요. 당신에게 영감을 주는 이미지(혹은 단어나 문구)를 모아 스크랩하면 끝이거든요.

비전 보드는 여러 가지 방법으로 활용할 수 있지만 여기서는 어떤 것들이 당신에게 영감을 주는지 정확히 알아보는 것을 목표로 합니다. 이미지는 최대한 직관적으로 선택하세요. 잡지를 쭉 훑어보다 (혹은 핀터레스트에서 스크롤을 쭉 내리다) 왠지 끌리거나 마음에 와닿는 사진, 단어 혹은 문구를 찢어서 보관하는 겁니다. 깊이 생각하지 말고 즉흥적으로 해야 해요. 아마 15분 정도 걸릴 거예요. 영감을 주는 이미지를 모으고 나면 이번엔 좀 더 신중하게 마음에 와 닿는 이미지를 골라 가위로 자르세요. 이후 접착제로 내키는 대로 한곳에 붙여 보고요. 핀터레스트를 활용할 경우 영감 비전 보드라는 보드를 만들어 선택한 이미지들을 모두 모으세요. (이 보드는 비공개로 하는 게 좋을 거예요.)

비전 보드를 완성했다면 시간을 들여 다음 질문에 답해 보세요. (답변을 당신의 노트에 적어도 좋아요.)

◆ 당신의 비전 보드에서 특정 주제가 떠오르나요?

◆ 당신이 선택한 이미지들을 보면 어떤 감정이 드나요?

◆ 당신이 스크랩한 이미지 속 대상들이 당신의 삶에 이미 존재하나요, 아니면 향후 이끌릴 만한 것들인가요?

◆ 당신의 비전 보드에 단어가 포함돼 있지 않다면 이 보드를 표현할 단어 세 개를 제시해 보겠어요?

◆ 당신의 비전 보드에 당신을 드러낼 만한 이야기가 있나요? 혹시 있다면 당신이 전하거나 확장시킬 수 있는 이야기인가요?

chapter 4

새로운 영감을
얻는 방법을
알려 드릴게요

당신 안에 창의성이 있음을 잊지 마세요

세상은 늘 소란스러워요. 그 속에서 우리가 자신의 감정, 꿈과 희망이 부드럽게 속삭이는 소리에 귀 기울이기란 쉬운 일이 아니죠. 우리의 내면에 집중하는 방법 중 하나가 창의성이라는 신비로운 힘을 받아들이는 겁니다. 당신만의 창의적 관점으로 접근하면 당신이 진짜누구인지 좀 더 분명하게 이해할 수 있어요.

창의성이란 과연 무엇일까요? 생물학자 E. O. 윌슨은 저서『창의성의 기원*The Origins of Creativity*』에서 창의성을 '우리 종의 고유하고 결정적인 특성'이라고 규정했어요. '고유성을 추구하는 내적 본능'이 창의성이라는 특성으로 나타난다고요. 인간이 본능적으로 새롭고 창의적인것에 매료된다는 건 신선하고 색다른 것을 끊임없이 추구하고 발전시킨다는 의미입니다. 그 대상이 아이디어, 사물, 절차, 도전, 정보, 상호 작용, 혹은 온 세상이든 말이에요. 그는 인간의 창의성을 평가할 때 '그것이 일으키는 감정적 반응의 크기'를 기준으로 삼는다고 했어요. 창작품이 위대할수록 그에 대한 우리의 감정적 반응도 커진다는 거죠. 그런 면에서 창의성은 우리 내면의 자아뿐 아니라 우리를 둘러싼 주변 세계와도 연결되는 방법입니다. 나 자신, 그리고 타인의 창의성 덕분에 느끼는 법을 배울 수 있으니까요.

우리가 고유하게 가진 창의성을 추구할 때 영감이 찾아올 가능성이 한껏 높아집니다. 떠오르는 아이디어를 놓치지 않고 포착해 받아들일 수 있기 때문이죠. 실제로 나는 의식적으로 창의성을 발현하려고 노력하자 전혀 예상하지 못한 순간에 영감이 떠오르는 경험을 수도 없이 했어요. 조깅을 하던 중 아이디어가 떠오르기도 했고 막내아들을 하교시키다 난생처음 보는 빛의 향연을 포착하기도 했으며 책을 읽다 내게 직접 말을 거는 듯한 문구를 만나기도 했죠. 라디오에서 흘러나오는 어떤 멘트에 힘입어 차원이 다른 생각의 물꼬를 트기도 했고요.

당신은 어쩌면 이 책을 읽으며 '그렇구나, 하지만 나와는 상관없는 얘기야. 나는 창의적인 사람이 아니니까.'라고 생각할 수 있겠죠. 충분히 이해합니다. 몇 년 전, 나도 똑같은 생각을 했으니까요. 하지만 나는 지금 이 자리에서 당신은 창의적인 사람이라고 말하고 있습니다.

우리 모두가 그렇다고 믿고요. 만약 10년 전 당신이 내게 창의적인 사람인지 여부를 물었다면 나는 분명 말도 안 되는 소리라며 손사래를 쳤을 거예요. 내가 나의 창의성에 자신감을 갖기까지는 수년이 걸렸습니다. 우리는 모두 각자의 창의성을 탐구하는 여정에 몸담고 있어요. 여기서는 나의 여정에 대해 조금 이야기해 줄게요.

내가 머리뿐 아니라 가슴으로 사진을 찍는다는 개념을 이해하기까지는 수년이 걸렸다. 사진 속 이미지 못지않게 사진의 느낌도 중요하다는 걸 깨닫는 데는 더 오랜 시간이 걸렸다. 대학에서 나는 학생회 건물 꼭대기에 있는 작은 암실을 임대해 사용했는데 그곳의 안식처 같은 편안함과 코를 찌르는 화학 용품 냄새, 그리고 고요와 어둠에 완전히 매료됐다. 한 번 오려면 수많은 계단을 밟고 올라가야 하는 암실에 나는 친구 한 명을 데려온 적이 있다. 그 친구라면 이미지가 현상용 트레이의 약품에 잠겨 점차 선명해지고, 인화된 흑백사진이 줄에 걸려 건조돼 가는 모습을 기쁘게 봐 줄 거라고 생각했다. 그리고 몇 년 후, 그 친구는 내 남편이 되었다.

사진 찍는 걸 계속해 오면서 나의 창의성은 마침내 목소리를 가질 수 있었다. 나는 바느질에도 여전히 흥미를 느껴서 큰아들이 아기였을 때 시어머니께 뜨개질을 배우기도 했다. 뜨개질만큼 창작 과정에서 내게 커다란 기쁨을 선사하는 활동도 없다. 하지

101

SHINE, DARLING   ELLA FREARS   O·R·B

WHAT KIND OF WOMAN   POEMS   KATE BAER

ELIZABETH JENNINGS *Selected Poems*   CARCANET

POEMS AND PROSE   CHRISTINA ROSSETTI

WALLACE STEVENS ● SELECTED POEMS   FABER

WOMEN'S POETRY OF THE 1930s
A CRITICAL ANTHOLOGY   EDITED BY
                       JANE DOWSON   ROUTLEDGE

SYLVIA PLATH *Collected Poems*

THE BLOODAXE BOOK OF
CONTEMPORARY WOMEN POETS   EDITED BY
                           JENI COUZYN   BLOODAXE

The Faber Book of
20th CENTURY WOMEN'S POETRY

만 그 와중에 글쓰기 역시 계속해서 나의 일기장은 차곡차곡 쌓여 나갔다. 나 자신을 창의적인 사람으로 인정하는 데 타인의 허락은 필요하지 않다는 사실을 언제 깨달았는지는 콕 집어 말할 수 없다. 그냥 시간이 흐름에 따라 자연스레 이해하게 된 것 같다. 나는 아직 머릿속에 떠오른 이미지를 연필로 구현해 내지 못하지만 이는 더 이상 중요하지 않다. 실, 직물, 달걀과 밀가루로 만든 케이크, 정원에 심은 꽃, 혹은 말과 사진 등 여러 다른 방식으로 내가 원하는 것을 구현할 수 있기 때문이다. 나의 창조적 여정은 여러 방식으로 이제 겨우 시작되고 있지만 나는 내게 창의성이 있다는 사실을 마침내 깨닫게 되었다. 이는 내 삶의 모든 영역에 관계되는 행운이 아닐 수 없다. 나는 창의적인 사람이며 어떤 식으로든 창의적으로 태어난 게 분명하다.

어린 시절에는 창의성이 숨 쉬는 것만큼 자연스럽게 느껴졌고 놀이는 소통 수단이자 학습 방법이자 자신을 표현하는 수단이었어요. 20대 초반, 나는 작은 시골 초등학교에서 신입 교사로 몇 년간 일했는데 이때의 경험 덕분에 놀이, 그리고 나중에는 스토리텔링에 식지 않는 관심을 갖게 되었죠. 교사 연수 기간 동안 나는 발달 심리학자 레프 비고츠키를 연구했는데 그는 창조적 상상력이 아이들의 놀이에서 기원한다고 믿었어요. 창의성은 놀이에서 시작되고 놀이는 또 스토리텔링의 근간을 형성합니다. 어린아이들이 창조적 놀이에 흠뻑 빠져들 때 그들의 상상력은 곧장 창의적인 이야기로 확대돼요.

스토리텔링은 평생 계속되는 창작 활동이에요. 나이가 들면 더 이상 상상하지 않게 될 수도 있지만 이야기는 결코 멈추는 법이 없습니다. 나는 놀이할 때의 생기를 되찾는 것이야말로 성인기의 잠재된 창의성을 일깨우고 끌어내는 데 핵심이라고 생각해요. 당신에게는 엄청난 창의성이 잠재돼 있고 그건 나도 마찬가지입니다. 우리는 창작 활동을 하도록 태어났지만 나 자신을 창작자로 보기 위해선 학습이 필요해요. 특히 창작 활동을 통해 놀이할 때의 열린 마음을 되찾아 보기로 결심하는 건 내 안의 보물을 조금씩 드러내 보일 수 있는 방법이 됩니다.

내 안의 창의성에 대해
기록해 보세요

다음 질문을 이용해 당신은 창의성과 어떤 관계에 있는지 돌아보고 일기장에 적어 보세요.

◆ 어린 시절 당신은 무엇에 호기심을 느꼈나요?

◆ 지금은 무엇에 호기심을 느끼나요?

◆ 창의성을 떠올리면 어떤 감정이 느껴지나요?

◆ 당신의 창의성을 방해하는 건 무엇인가요?

◆ 당신의 창의성에 날개를 달아 주는 건 무엇인가요?

◆ 활기를 얻기 위해 일상적으로 어떤 활동을 하나요?

◆ 당신의 엉망진창인 측면을 받아들이기 위해 오늘 무엇을 할 수 있나요?

◆ 창의적인 삶을 살 때 누릴 수 있는 이점은 무엇이라고 생각하나요?

위 질문에 모두 답했다면 당신의 답을 천천히 살펴보고 그 결과 실제로 창의성을 발휘할 수 있는 것이 있는지 고민해 보세요.

창의성을 키우는 건 삶의 방식입니다. 창의적 자기표현이란 예술에 국한되는 게 아니라 우리가 하루하루를 살아가는 방식이 될 수 있어요. 다양한 경험을 상상력으로 맞이하며 열린 마음으로 반응하는 것 또한 창의적 라이프 스타일인 것이죠.

앙리 마티스가 말한 것처럼 창의성에는 용기가 필요합니다. 나 자신을 영감에 내맡길 용기, 엉망진창이 될 용기, 실수할 용기, 놀고 배우며 내면을 들여다볼 용기, 어둠과 빛을 모두 바라볼 용기. 용기를 내는 게 엄두가 안 날 수 있지만 나는 관심을 기울이는 방법으로 한번 시작해 보자고 (다시 한 번) 제안하고 싶어요. 당신을 둘러싼 세상에 관심을 기울이고 당신 내면의 목소리를 듣고 무엇이 당신의 흥미를 일으키는지 알아보세요. 특히 매력을 느끼는 사물이나 소리, 연구해 보고 싶은 주제, 답을 찾고 싶은 질문이나 배워 보고 싶은 기술이 있나요? 작은 흥미라도 그 실마리를 쫓아가 흠뻑 빠져들어 보세요. 더 가까이서 들여다보고 더 귀 기울이는 겁니다.

호기심을 깨우기 위한
다양한 활동을 해보세요

창의적 영감이 도무지 일지 않는다면 아래의 요령들을 활용해 호기심을 일깨워 보세요.

◆ 잠시 멍 때리는 시간을 가지세요

하루에 5분만 시간을 내 창밖을 바라보며 이런저런 생각에 자신을 맡겨 보세요.

◆ 새로운 창작 훈련을 해보세요

평소 당신의 창작 스타일과는 반대되는 창작법을 시도해 보세요. 손가락으로 그림 그리기, 뜨개질, 도자기 공예, 스푼 목공 등 이전에 경험해 보지 않았던 일을 시작해 보는 겁니다.

◆ 산책을 나가세요

특히 자연 속에서 걷는 건 창의적 발상과 아이디어를 샘솟게 하는 고전적인 방법입니다.

◆ 음악을 들으세요

특히 연주곡은 영감을 주는 건 물론 당신의 마음이 자유롭게 떠다닐 수 있도록 해줄 거예요.

◆ 영감 스크랩북을 만들어 보세요

당신이 다른 프로젝트에 한창일 때처럼 적절하지 않은 순간에 영감이 떠오를 때도 있어요. 호기심을 일으키는 잡지, 사진, 대화를 발췌한 부분이나 웹 사이트 링크를 모아 두는 습관을 들이면 영감이 필요할 때 스크랩북에서 도움을 받을 수 있습니다.

◆ 모험을 떠나세요

새로운 길을 탐험하든 미술관에 가든 혹은 기차를 타고 새로운 목적지로 떠나든 모험은 스케일과 무관하게 호기심을 일깨우는 최고의 방법입니다.

영감이 도무지 떠오르지 않는다고 체념하는 대신 언제든 떠오를 수 있다는 가능성에 자신을 온전히 내맡기면 잠재된 창의성을 꽃피우는 데 한 발짝 다가갈 수 있습니다. 창의성을 발현하기 위해선 갑자기 떠오르는 아이디어의 불꽃을 포착하는 것도 중요하지만 끈기를 발휘하는 것도 중요해요. 아무런 감흥이 없고 심지어 좌절감에 싸여 있을 때조차 창작 활동에 힘써야 하는 거죠. 영감을 찾는 길에서 벗어나지 않은 채 배우고 연습하면 무엇이든 얻을 수 있습니다.

스토리텔링에 대해 말하자면 매일 창작하는 습관을 들이는 게 좋아요. 말 그대로 매일같이 사진을 찍거나 일기를 쓰는 거예요. 매일같이 소소한 이야기를 전달하기로 마음먹으면 글 쓰고 사진 찍는 기술을 향상시킬 수 있을 뿐 아니라 당신을 둘러싼 세상과 당신 내면의 목소리에 몰두할 수 있게 돼요. 만약 소셜 미디어 활동을 한다면 한 달처럼 특정 기간을 정해 매일 소소한 이야기를 올리겠다는 계획을 세우는 것도 좋습니다. 도전 과제를 정하면 호기심에 발동을 걸 수 있어요. 더 가까이서 들여다보고 평범한 것들 가운데 비범한 것을 찾도록 노력하게 될 테니까요. 아무런 감흥도 일지 않아 짧은 이야기만 전하는 날도 있겠지만 영감이 떠오를 가능성을 열어 둘수록 어쩌면 예기치 못한 순간에 영감을 맞닥뜨리는 경험을 하게 될 겁니다.

창의성은 선물처럼 느닷없이 주어질 수 있지만 훈련을 통해 생겨나기도 해요. 이 책을 쓰기 위해 나는 영감이 충만하든 그렇지 않든 매일같이 책상 앞에 앉았어요. 노트북의 텅 빈 화면을 보고 겁먹지 않고, 휴대폰의 번잡한 유혹에 넘어가지 않기 위해 부단히 노력했죠. 그리고 늘 귀 기울이면서 글귀가 떠오르기를 기다렸어요. 창의성의 불꽃은 인내와 영감이 끊임없이 줄다리기 하는 가운데 일어나는 겁니다. 우리의 창의적 자아가 꽃피우려면 인내와 영감 두 가지가 모두 있어야 해요. 당신의 소소한 이야기를 전하겠다고 마음먹고 하루에 단 몇 분이라도 창작 노력을 기울인다면 그 보상을 받는 건 물론 심지어 당신이 뛰어나다는 사실까지 발견할지 모릅니다.

창의성은 훈련을 통해서도 생겨나지만 즐거움에서 비롯되기도 합니다. 최종 결과물만을 위해서가 아니라 만족감, 심지어 쾌감을 느끼기 위해서 창작에 임하는 거죠. 창의성은 그림부터 요리, 공예, 시, 춤과 과학에 이르기까지 수없이 다양한 분야에서 발휘할 수 있습니다. 글과 사진은 그 자체로 창작물이 될 수 있지만 어떤 형태의 창작을 하든 그 과정에 대해 이야기하는 수단도 될 수 있죠. 뜨개질, 자연 염색, 조개껍데기 수집 혹은 제빵에 이르기까지 가장 좋아하는 창작 활동을 골라 무엇을 어떻게 하는지 소소한 이야기를 전달하며 탐구하고 기록해 보세요. 당신의 창작 과정은 고유한 만족감을 선사할 뿐 아니라 그 자체로 흥미로운 이야기입니다. 완성작을 보여 주는 데 그치지 말고 어떻게 여기에 이르렀는지 반드시 기록하도록 하세요. 이는 학습의 일환으로 본인에게도 유용한 기록이 되고, 타인과 공유할 경우 당신의 창의적 마인드를 보여 주는 기록이 될 수 있죠. 여기저기 널브러진 실뭉치, 양파 껍질 염료 통, 바다 유리가 뒤섞여 있는 그릇이나 밀가루 범벅이 된 식탁에 이르기까지 창작 과정 중 일어날 수밖에 없는 혼돈을 사진에 담으면 눈을 뗄 수 없을 만큼 매력적인 이미지가 탄생해요. 나 역시 뜨개질하거나 빵을 굽는 순간에도 노트북을 곁에 두고 스티치 개수 혹은 반죽이 부푸는 시간 등 중요한 디테일을 기록해 두곤 합니다. 물리적 활동을 하다 보면 활기가 넘치고 마음까지 즐거워져서 불현듯 아이디어가 떠오르기도 해요. 그때 노트북을 이용해 바로 적어 놓기도 하고요.

창의성은 나라는 사람을 구성하는

중요한 요소예요.

평범함 속에서 비범함을
발견해 보세요

우리 삶의 소소한 이야기를 전달하려면 마법이 깃드는 순간을 발견해야 하지만 가끔은 내 창의성에 몰입해 직접 만들어 보고 싶기도 해요. 꼭 포토샵 기술을 활용해야만 당신의 사진에 기발함을 더할 수 있는 건 아닙니다. 섬세하게 계획하고 상상력을 조금만 발휘해도 얼마든지 눈길을 사로잡는 이야기를 끄집어낼 수 있죠.

나는 실내와 실외 활동의 경계를 무너뜨리는 사진을 찍는 걸 좋아해요. 평범한 순간이 비범하게 느껴지도록 만드는 거죠. 이를 위해서는 단순한 장면을 떠올린 뒤 관점을 바꿉니다. 예를 들어 나는 아침 식사에 관한 이야기를 즐겨 해요. 테이블에 심플한 테이블보를 깔고 커피와 크로와상을 올려 이야기할 준비를 마치죠. 물론 지금까지는 별다를 게 없어요. 하지만 이 테이블이 주방이나 거실이 아닌 야외 공간

116

에 있다는 데서 전환이 일어납니다. 물론 테이블 세팅을 야외에 한다는 발상은 내가 처음 한 게 아니에요. 나는 단순히 차용했을 뿐이죠. 이런 식으로 찍은 사진에 독자들이 즉시 매료된다는 점이 흥미로웠어요. 낯선 맥락 속에 놓인 익숙한 장면은 만약 내가 저 테이블에 앉아 따뜻한 커피를 마신다면 어떨지 상상의 날개를 펼치도록 해줍니다. 실제로 내가 이런 장면을 연출하고 있을 때 우연히 그 옆을 지나가던 사람이 내게 다가와 마치 꿈속의 한 장면 같다고 말해 주더라고요.

물론, 당신한테 테이블과 의자를 언덕 위로 옮기라고 이야기하는 게 아니에요. (그래도 굳이 해보겠다면 이동이 간편한 소형 접이식 테이블을 사용하라고 말하고 싶지만요!) 평범한 순간의 맥락을 바꾼 창조적 이미지를 탄생시키려면 계획과 연습이 필요합니다. 내가 실내와 실외 활동의 경계를 무너뜨리는 방식을 제안해 볼 테니 원하는 대로 적용해 보세요. 아침 식사, 의자에 앉아 햇볕 쬐기, 잠자기, 책 읽기, 양치질, 영화 시청 등 보통 실내에서 하는 활동을 야외에서 할 수 있도록 재구성해 사진을 찍는 거죠. 아니면 야외 활동을 실내로 들일 수도 있고요. (이건 집안이 엉망진창이 되는 걸 얼마나 참을 수 있느냐에 따라 실행 가능성이 달라지겠죠!) 발상의 전환을 위해 의상을 활용할 수도 있습니다. 이를테면 들판이나 공원 같은 야외 공간에서 포멀한 드레스를 입거나 실내에서 우비와 장화를 착용하는 식이에요. 처음엔 아마 작고 간단한

것부터 시도해 보고 싶을 거예요. 성곽이나 담장 곁에 책들을 쌓아 사진을 찍거나 식탁 위 화분에 꽃을 심는 것도 좋죠. 중요한 건 거창한 이미지가 아니라 발랄한 상상력이니까요.

　여기서 목표는 재미있게 노는 거예요. 이런 사진에 정답이나 오답 같은 건 존재하지 않습니다. 어떤 사진을 찍을지 계획하고 그걸 위해 준비하는 것 자체가 모험이죠. 창작의 과정 중에는 늘 예상하지 못한 사고가 일어나기 마련이에요. (한번은 내가 구운 케이크를 지나가던 개가 먹어치운 적도 있어요!) 하지만 창작 활동은 그 자체로 자유로움과 기쁨을 만끽하게 해주고, 나는 이렇게 우발적으로 연출된 이미지의 사진을 다른 어떤 사진보다 좋아해요. 물론, 이건 단순한 기록이 아니라 내가 만든 이야기, 그것도 나만의 상상력을 발휘해 만든 이야기죠. 가끔은 아주 작은 발상의 전환만으로 우리가 당연하게 받아들이는 세상을 완전히 다른 관점에서 바라볼 수 있어요. 그것만으로 이야기는 전할 가치가 있다고 생각합니다.

창의성은 외부 세계와 내면의 목소리 둘 다에 집중할 때 활짝 피어 납니다. 내면의 자아와 외부의 우주 사이에서 균형을 잘 맞추는 게 창작 활동의 핵심이죠. 내 안에 무엇이 들었는지 이해하려면 그 너머를 인지할 수 있는 상상력과 함께 통찰력이 필요해요. 창의성을 발휘하려면 불확실성에 태연하고 알려지지 않은 것들에 의연해야 하고요. 창의성은 신비해서 우리가 완전히 이해할 수는 없지만 창작 활동만으로도 완성된 창작품 못지않은 기쁨을 느낄 수 있어요. 이 사실을 깨닫고 나면 창작의 길을 걷는 내내 충만함을 누릴 수 있을 거예요.

다시 한 번 강조하지만 작은 것부터 시작하세요. 당신의 소소한 이야기를 글과 사진으로 전달하는 건 창작을 시작하는 가장 좋은 방법입니다.

가끔은 아주 작은 발상의 전환만으로 우리가 당연하게 받아들이는 세상을
완전히 다른 관점에서 바라볼 수 있어요

chapter 5

디테일은
특별함을 불어넣는
중요한 도구예요

삶 속에 숨어있는 디테일을 찾아보세요

　이야기를 살아 숨 쉬게 하는 게 바로 디테일입니다. 디테일이 구체적으로 드러나 있지 않은 스토리는 끌어당기는 힘이나 생명력을 찾아볼 수 없고 무슨 얘기를 하려는 건지도 알 수 없어요. 디테일은 스토리텔러가 이야기에 의미를 부여하는 방식이기도 합니다. 디테일이 있어야 이야기가 특정한 때와 장소, 그리고 특정한 삶에 뿌리 내릴 수 있어요. 그래야 진실성이 느껴지지 않거나 지루하고 애매한 이야기로 전락하는 사태를 막을 수 있죠. 독자들이 스토리를 이해하고 스토리텔러에게 공감을 느끼게 하는 것 역시 디테일입니다.

　한 사람의 삶, 당신의 삶을 구성하는 사소한 디테일은 상당히 중요해요. 디테일이 이야기에 고유성을 부여하는 만큼 당신이라는 존재의 디테일은 충분히 기록할 가치가 있습니다. 디테일은 이야기의 진실성을 좌우한다는 사실을 잊지 마세요. 독자들로부터 공감을 일으키려면 스토리텔러는 디테일이 살아 숨 쉬는 이야기를 만들어야 합니다.

  사물은 효과적인 디테일이 될 수 있어요. 오래 간직한 만큼 낡았거나 새롭고 독특해 흥미로운 물건들 말이에요. 당신에게 특별한 의미를 지니거나 예기치 않게 갖게 됐거나 당신 일상의 숨결이 담겨 친숙하지만 그만큼 인식하지 못한 물건들도 좋습니다. 다양한 감각적 인상들도 마찬가지예요. 냄새, 소리, 맛이나 질감 등도 얼마든지 디테일이 될 수 있죠. 빛나거나 효과적인 디테일은 독자를 더 가까이 끌어당겨 스토리의 맥박에 따라 호흡하도록 해줍니다.

  삶의 소소한 이야기를 전할 때 중요한 디테일을 넣으면 구체적인 추억을 간직하는 데 도움이 됩니다. 지난 경험을 기록할 때 세세한 디테일을 첨가하면 글이 훨씬 정확해지니까요. 특정 순간의 이야기를 쓸 때 시작을 어떻게 해야 할지 모르겠다면 그때로 거슬러 올라가 기억나는 디테일 한 가지에서 시작해 보세요. 물론 디테일 자체에서 스토리의 힘이 나오는 건 아니에요. 중요한 건 그 디테일에 대한 당신의 인식, 그리고 그 디테일이 당신에게 갖는 의미죠. 어휘를 적절히 선택해 그 디테일을 제대로 표현해 낸다면 거기서부터 소소한 이야기가 시작될 수 있어요. 지나간 어느 순간으로 당신을 끌어당겨 디테일을 최대한 정확하게 적으면서 이야기가 흘러가도록 해보세요. 특정한 냄새를 맡는 순간 다른 감각은 모두 지워지면서 동일한 냄새를 맡았던 과거의 순간으로 되돌아가듯 감각적 경험이 추억을 일으키도록 하는 거죠. 당신이 전하는 이야기 속 디테일이 당신에게 갖는 의미만큼이나 생생하게 살아 숨 쉰다면 독자들로부터 공감을 얻을 수 있을 겁니다.

　이야기에 묘사적 디테일을 삽입하면 읽는 이에게 실질적인 영향을 미칠 수 있어요. 작가가 구체적인 디테일을 사용했다면 독자는 그 이야기의 세계를 훨씬 효율적으로 설계할 수 있죠. 디테일을 더 생생하게 묘사할수록 독자들도 우리의 이야기 속 세상을 머릿속에서 더 구체적으로 상상할 수 있는 거예요. 하지만 디테일은 절제의 미덕을 지킬 때 가장 강력한 힘을 발휘합니다. 끝없는 묘사로 독자를 질식시키지 마세요. 효과적 디테일 두세 개 정도로도 당신의 소소한 이야기에 날개를 달 수 있습니다.

오감을 동원해
사물을 묘사해 보세요

당신의 이야기에서 의미 있는 디테일을 묘사하기 위해 꼭 화려한 미사여구나 시적 언어를 사용해야 하는 건 아니에요. 디테일의 의미를 제대로 구현할 수 있는 적확한 단어 몇 개면 얼마든지 독자의 마음에 닿을 수 있죠. 나 자신의 진실한 이야기를 전하는 것인 만큼 디테일을 정확히 표현할 수 있는 단어만 적절하게 사용하면 됩니다.

디테일을 구체적으로 묘사하기 위해서는 당신의 감각에 초점을 맞추는 것이 좋은 방법이에요. 당신이 묘사하는 디테일을 가장 우선적으로 느끼는 감각에 집중해 보세요. 그 디테일의 냄새, 소리, 만졌을 때의 느낌, 혹은 맛이 정확히 어떤가요? 디테일의 외양을 묘사할 경우 정확한 색조나 질감을 표현해 보세요. 시각적으로 독특한 점이나 결함, 혹은 아쉬운 점이 있나요?

한 가지 디테일이나 사물을 선택해 당신의 노트에 두세 문장으로 묘사해 보세요. 당신의 감각을 총동원해 최대한 정확하게요. 가끔은 묘사하는 대상을 다른 대상과 비교함으로써 독자들이 머릿속에 더욱 생생한 그림을 그리는 데 도움을 줄 수 있어요. 간단한 직유법을 활용하는 것도 한 가지 방법이죠. (직유법은 '~ 같이'나 '~처럼' 등을 써서 직접 비교하는 방법을 말해요.) 예를 들어 사과가 갓 돋아난 잡초 잎사귀처럼 푸르다거나 반질반질한 자갈처럼 빛난다고 적을 수 있습니다. 당신이 선택한 디테일을 묘사할 때는 가장 적절한 단어를 최소한으로 사용해 묘사하는 대상의 정수를 표현해 보세요.

디테일은 보통 언어로 기록하지만 사진으로도 얼마든지 기록할 수 있습니다. 사진 역시 글과 마찬가지로 핵심은 인식입니다. 아무리 구태의연한 장면이라도 당신이 어떤 이유에서든 흥미를 느끼는 소소한 디테일을 발견한다면 얼마든지 매력적인 스토리로 탈바꿈시킬 수 있어요. 아이의 머리에 쏟아지는 아침 햇살, 길바닥에 떨어져 있는 색종이 조각, 나뭇가지에 걸려 나부끼는 연에 이르기까지, 카메라는 흥미롭거나 안타까운 디테일을 기록할 수 있는 도구예요. 그리고 카메라로 포착한 이야기에는 우리가 삶을 바라보는 방식이 반영될 수밖에 없어요. 이미지를 구성할 때 (의식적이든 무의식적이든) 무엇을 프레임 안에 넣고 또 배제할지 선택하는 만큼 사진에는 세상을 바라보는 당신만의 방식이 드러나게 돼 있습니다. 당신의 사진을 볼 때 우리는 알게 모르게 당신이 본 것을 보고 또 사진을 찍은 당신의 눈, 관점에 공감하게 되는 거죠.

자신만의 관점을 구축해 평범함 속에서 특별함을 발견하는 것이야말로 우리 삶의 소소한 이야기를 전하는 데 핵심입니다. 그 수단이 글이든 사진이든 혹은 둘 다든 말이에요. 작가 나탈리 골드버그는 "우리의 삶은 평범함과 비범함을 동시에 갖는다."고 여겼죠. 옷을 입고, 버스를 타고, 출근을 하며 빗길에 집으로 돌아오는 등 매일 반복되는 일과와 처리할 허드렛일이 있는 각자의 삶은 그야말로 평범하지만 놀라울 만큼 특별하기도 하다는 거예요. 우리 인간은 모두 특별한 존재이고 우리 삶의 디테일도 기록해 둬야 할 만큼 중요합니다. 디테일은 처음엔 평범해 보이겠지만 학습을 통해 다른 관점에서 바라보고 그것들만의 특별함에 눈뜨게 될 수 있습니다. 골드버그는 누가 봐도 재미없는 순간의 이야기를 하려면 "특별함과 평범함이 동시에 우리 눈앞에서 깜빡일 수 있도록 그 순간의 핵심을 파고들어 제대로 알아야 한다."고 말했죠. 디테일은 소소하지만 풍부하고 실재적이에요. 표면적으로 보이는 것보다 훨씬 큰 걸 품고 있죠. 관점을 바꿔 평범한 것을 더 섬세하고 깊이 있게 보려고 노력한다면 엉망진창인 삶이더라도 영광스러운 순간이 있고, 그 영광은 디테일 속에 있다는 직시하게 될 겁니다.

당신만의 관점을 좀 더 예민하게 의식하기 위해 당신의 시선을 잡아끄는 게 무엇인지 생각해 보세요. 당신을 둘러싼 세상을 얼마나 가까이서 들여다보나요? 평범한 풍경 속에 숨겨진 보물을 찾고 싶다면 시선을 집중해 디테일을 알아차리는 훈련을 해야 해요.

무엇이 당신의 눈을 사로잡고 또 심장을 뛰게 할까요? 당신의 관점은 당신이 무엇을 알고 무엇을 믿으며 또 누구인지에 따라 달라지는 개인의 산물입니다. 따라서 당신의 관점은 완벽하게 고유하고 결과적

디테일은 소소하지만 풍부하고 실재적이에요.

으로 스토리텔링에서 드러나는 당신의 목소리도 고유할 수밖에 없죠. 스스로에게 물어 보세요. 오로지 당신만 볼 수 있는 게 무엇이며 당신만 하고 싶은 소소한 이야기가 무엇인지 말이에요. 이를 핑계 삼아 산책에 나서는 것도 좋습니다. 다른 이들은 그냥 지나치는 것을 경이감 속에 바라보게 된다면 아마 엄청난 비밀을 발견한 것처럼 느껴질 거예요. 내 경우 뻔한 것 너머를 봄으로써 흥미로운 이야기를 찾을 때가 많습니다. 예를 들어 나는 거대하고 휘황찬란한 건물의 외관보다 별채 측면의 금이 살짝 간 창문에 더 큰 매력을 느껴요. 완벽하게 관리된 정원의 토실토실한 장미 꽃송이보다 슈퍼마켓 주차장의 벽면을 뒤덮은 포도나무 넝쿨을 좋아하고요. 나는 누군가 떨어뜨린 카드나 장갑, 쇼핑 목록 같은 분실물을 찾아다닙니다. 버려지고 간과된 것들을 알아보고, 뜻밖의 운명에 맞닥뜨리기를 언제나 갈구하죠.

나만의 세렌디피티를
찾아보세요

경이로움에 눈뜰 수 있으려면 예상치 못하게 벌어진 일 혹은 뜻밖의 발견을 즐길 준비가 돼 있어야 합니다. 흥미롭거나 뜻깊은 것을 우연히 발견한다는 의미의 세렌디피티*Serendipity*는 누군가 잃어버린 돈을 줍는 따위의 행운을 말하는 게 아니에요. (물론 그것도 좋겠지만요!) 소소한 이야기를 창작하는 관점에서 오로지 당신에게만 흥미롭고 뜻깊은 무언가를 발견하는 걸 뜻하죠. 특정한 연상 작용을 일으켜 어떤 감정에 빠져들게 하고 결과적으로 추억 속의 사람, 장소 혹은 경험을 떠올리게 하는 작은 발견 말이에요.

세렌디피티는 계획이 불가능한 만큼 실제로 일어났을 땐 마치 우주가 준 선물처럼 느껴져요. 하지만 우리가 늘 바쁘게 뛰어다니거나 길바닥 혹은 휴대폰만 쳐다보고 다닌다면 이 같은 예상 밖 선물은 놓칠 수밖에 없습니다. 그에 비해 지금 이 순간에 좀 더 충실히 임하기로 한다면 그게 무엇이든 세렌디피티를 온전히 받아들일 수 있게 되죠.

내게 세렌디피티는 하트 모양 돌멩이, 길에 떨어진 노란 은행잎, 빛 바랜 수국 덤불, '가져가세요.'라고 적힌 스티커가 붙은 낡은 원목 스툴, 깃털, 스프레이로 벽에 써놓은 시의 한 구절 같은 것들입니다. 물론 당신에게는 이와는 다른 목록이 있겠죠. 당신의 세렌디피티가 무엇이든 실제로 마주하게 되면 마음으로 받아들이고 사진이나 한두 개의 문장으로 이야기해 보세요.

소소한 이야기를 전하는 건 (소셜 미디어에서 보는 것과 달리) 완벽한 삶을 과시하는 게 아닙니다. 오히려 그 반대죠. 완벽한 것에는 전달할 만큼 흥미로운 요소가 극히 드물어요! 삶은 엉망진창이고 불완전하며 우리는 그런 특성을 받아들여야 하죠. (신체적으로든 감정적으로든) 엉망진창이라고 해도 부끄러울 이유가 전혀 없습니다. 삶이란 원래 그런 거니까요. 이렇게 엉망인 것들이 쌓여 지금의 내가 되었고 나아가 인간 본질의 일부를 구성합니다. 이렇게 관점을 바꾸면 아무리 엉망진창인 난장판도 아름답게 다가올 수 있어요.

스토리텔러인 우리는 복잡하고 허술하지만 진실한 아름다움을 알아보고자 노력해야 합니다. 우리의 스토리는 우리의 삶을 반영해요. 삶 자체가 완벽하지 않은 만큼 당신의 일기 역시 완벽해야 한다는 강박을 버리세요. 어떤 판단도 하지 말고 자유롭게 쓰고 아무런 제약 없이 창작하세요. 만약 당신의 노트가 내 노트와 비슷하다면 멋대로 날려서 쓴 기록도 있고 선을 쭉쭉 긋거나 잉크가 번진 자국, 심지어 눈물 자국도 있을 겁니다. 마찬가지로 당신의 카메라 역시 오롯이 당신 것이니만큼 얼마든지 실험해도 좋아요. 당신의 발, 자전거, 창밖 풍경, 꽃이나 도로 표지판 등의 사진으로 채우고 싶다면 그렇게 하면 되죠.

무엇을 타인과 공유하고 무엇을 혼자서만 볼지도 당신의 선택에 달려 있습니다. 타인이 당신의 이야기를 다 알거나 당신의 약점을 쥐고 있는 게 아니니까요. 일단 당신만의 노트에라도 아름답고 복잡한 난장판을 있는 그대로 담으려고 노력해 보세요. 엉망진창인 그 지점 이야말로 당신의 일부이자 고유한 목소리의 원천, 그리고 당신의 소소한 이야기가 시작되는 곳이니까요.

　나는 글과 사진으로 이야기를 창작하고 공유하는 과정을 통해 점차 세상을 바라보는 관점이 달라졌음을 깨닫게 됐습니다. 이제는 내가 관찰한 것들을 사진으로 찍거나 글을 쓰겠다는 마음으로 세상을 바라봐요. 창작 행위를 통해 세상을 좀 더 구체적인 방식으로 인지하게 되었고 그 결과 바라보는 방식도 크게 바뀐 거죠. 나는 이제 일상, 자연, 계절과 날 둘러싼 세상의 디테일을 좀 더 세심하게 들여다봅니다. 내 주변 환경에도 한층 의식적으로 반응하며 아주 사소한 이야깃거리조차 놓치지 않죠. 그러다 다른 창작자들의 경험이 궁금해져 다른 작가들에게 세상을 바라보는 관점, 일상의 어떤 요소들이 창작 활동에 영감을 주는지, 그리고 작가 혹은 사진가의 시각이란 무엇을 의미하는지 물어봤어요.

　사진가 폴리 앨더튼은 일상의 디테일이 자기 작품의 중심이라고 설명합니다. "그렇다고 해서 내가 사진 찍는 디테일에 반드시 끌린다는 얘기는 아닙니다. 그보다 내게 주어진 선택지가 그것뿐인 것에 더 가깝죠. 이전에 나는 그리운 감정이나 추억을 소환하고 싶은 욕구를 의도적으로 일으키려고 노력한다고 이야기한 적이 있어요. 실제로 오래된 사진을 볼 때면 배경에 숨어 있는 소소한 것들을 발견하길 좋아하죠. 설거지해야 하는 컵이나 접시 더미, 색이 바랜 값싼 장신구 등 평소 같으면 숨기고 싶은 것들 말이에요. 나는 언제나 일상적인 것들을 알아차리려 노력해요. 일상이 겹겹이 쌓여 우리의 추억을 구성하니까요. 내가 사진을 좋아하는 이유는 이미지를 사진으로 인화하는 즉시 손에 쥘 수 있는 사물로 거듭나기 때문이에요. 단순한 추억이 진짜 물성을 갖게 되는 거죠."

일상적인 것들을 알아차리고자 노력하는 건 일상을 이야기하는 데 핵심이에요. 폴리 앨더튼이 말했듯 집의 일상적 디테일은 언젠가 우리의 향수를 자극하는 추억 상자가 될 것입니다. 나는 폴리의 사진에서 볼 수 있는 진실한 리얼리즘과 가족의 삶을 예술로 탈바꿈시키는 놀라운 능력을 오랫동안 갈망해 왔어요. 그녀가 말한 추억의 사물화라는 문구야말로 사진을 인화하는 행위를 가장 아름답게 표현했다고 생각하고요. 내게는 인화한 사진의 물성이야말로 실제적이고 실현 가능한 종류의 마법입니다.

우리는 사진 찍는 행위를 통해 세상을 특정 방식으로 바라보게 되는 걸까요, 아니면 우리가 세상을 바라보는 특정한 방식 때문에 사진을 찍게 되는 걸까요? 나는 사진가들이 사진에 끌리는 이유가 세상을 특정하게 바라보는 타고난 성향 때문인지 늘 궁금했어요. 순전히 이야기를 전하고자 하는 욕구 때문에 사진을 찍는 것일 수도 있잖아요. 폴리 앨더튼은 "사진을 찍는 건 나의 경험을 견고하게 하는 방법으로 현재 혹은 과거의 증거를 남기는 것"이라고 적었어요. 사진을 찍는 건 창의적 표현의 한 가지 형태입니다. 경험을 포착해 기록하고, 순간을 붙잡아 추억을 물리적 현실로 만드는 행위죠. 그림을 그리거나 글을 쓰는 것도 방식은 다를지언정 목표는 같아요.

빛을 테마로 한
사진 기록을 해보세요

우리가 사진가의 눈으로 바라볼 수 있는 한 가지 방법은 빛을 적극적으로 인지하기 시작하는 겁니다. 사진가들은 빛에 대한 감각(광각)이 마치 여섯 번째 감각이라도 되는 것처럼 정확히 빛을 파악해 내는 데 일종의 아름다운 강박이라고 할 수 있죠. 아침의 광채, 해 질 무렵 부드럽게 분산되는 햇빛, 당신의 주방 벽에서 춤추는 햇살에 이르기까지, 완벽한 빛은 찾아내기만 하면 아주 신나고 묘한 매력을 풍겨 약물만큼 강한 중독성을 자랑합니다. (누구보다 인내심이 강한 피사체인) 내 아이들은 내가 이렇게 외치는 걸 자주 들어요. "사진 찍게 잠시 와줄 수 있을까? 어여쁜 빛의 조각을 발견했어."

사진은 인공조명이 아닌 자연광 아래서 찍었을 때 가장 아름답기 마련입니다. 사진가인 우리는 빛을 통제할 수는 없지만 찍고자 하는 피사체가 가장 돋보이도록 활용하는 법은 배울 수 있어요. 우리에게 주어진 빛을 어떻게 활용해야 피사체를 강조한 이야기를 전할 수 있을지 늘 고민하면서요. 빛의 활용법을 배우는 건 빛을 바라보는 데서 시작됩니다. 빛이 어떻게 둔갑해 있든 알아차리고 관찰하며 저항할 수 없는 그 매력에 굴복하는 데서 말이죠.

하루를 보내면서 카메라가 손에 있든 없든 스스로 빛의 관점에서 생각하는 걸 연습해 보세요. 이렇게 자문하는 겁니다. 지금 빛이 어디에서 오지? 눈부실 정도인가, 아니면 은은하게 내리쬐고 있나? 구름 한 점 없이 쨍한가, 아니면 여기저기 그늘졌나? 구름을 거치며 부드러워졌나, 아니면 그야말로 작렬하고 있나? 뭘 하고 있지? 어떻게 변하고 있지? 빛을 똑똑히 인지하는 법을 배우면 실제로 문득문득 빛의 형태와 변화를 깨닫는 순간이 있을 테고, 빛이 이야기가 되는 사진을 찍을 수도 있어요.

이런 연습을 위해 빛을 테마로 사진 기록을 해 보세요. 말하자면 빛 컬렉션 같은 거죠. 다음 한 주간 최대한 다양한 형태의 빛을 관찰하고 사진으로 찍어 보세요. 눈부신 햇살, 구름을 통과하며 한층 부드러워진 빛, 해 질 녘이나 해 뜰 녘의 반짝이는 햇빛까지요. 빛이 집 안의 벽을 어떻게 탐험하는지 관찰하고 그 패턴을 사진에 담아 보세요. 나무

143

그늘에서 부드럽게 어룽거리는 햇빛과 한낮의 작렬하는 햇빛도 찾아 보세요. 빛이 벽에서 어떤 리듬으로 움직이는지, 현관에서 어떻게 떨어지고 유리를 통해 어떻게 퍼져 나가는지 지켜보세요. 최대한 다양한 형태의 빛을 수집하세요.

주말에는 당신이 수집한 이미지를 쭉 살펴보며 어떤 기분이 드는지 느껴 보세요. 빛에 어떤 이야기가 담겨 있나요? 특별히 마음에 드는 빛의 모양이나 움직임이 있나요? 당신의 소소한 이야기를 전할 때 이 빛들을 어떻게 활용할 수 있을까요? 당신도 나처럼 빛을 탐색하는 데는 끝이 없으며 그래서 나만의 빛 컬렉션도 계속 확장될 것임을 깨닫게 될 거예요. 빛을 향한 사랑은 언제까지고 내 정체성, 그리고 내 관점의 일부일 테니까요.

chapter 6

진짜 전하고 싶은
이야기 찾는 법을
알려 드릴게요

당신만의 이야기를 쓰고 싶다면
흥미롭게 여기는 것부터 살펴보세요

당신의 목소리는 지문만큼이나 고유하고 절대 지울 수 없어 당신이 누구인지 분명히 보여 줍니다. 당신을 아는 사람이면 목소리만으로도 즉시 당신임을 알아차리는 것처럼 당신만의 목소리도 글이나 이미지 등 어떤 형태로 나타나든 구별해 낼 수 있어요. 개인적 스타일뿐 아니라 성격과 인품까지 드러내는 당신만의 고유한 색깔이 갈수록 뚜렷해지기 때문이죠. 이렇게 고유하고 한결같은 목소리를 내기 위해서는 연습이 필요하고 귀 기울이는 법도 배워야 합니다.

당신이 전하기로 한 이야기, 기록하기로 한 순간에는 개인적으로 흥미를 느끼고 또 중요하게 여기는 대상이 드러납니다. 그 대상은 스토리텔러로서, 그리고 인간으로서 집착의 산물이죠. 삶에서 당신을 매료시키고 기쁘게 만드는 게 뭔지 생각해 보세요. 무엇이 당신의 호기심을 일으키고 흥미를 돋우나요? 당신은 무엇을 찾고 꿈꾸며 고민하고 또 즐거워하나요? 무엇이 당신을 살아 숨 쉬게 하나요? 집착의 대상은 (특정 색상, 국가, 날씨처럼) 추상적인 것일 수도 있고 (특정 아티스트의 레코드, 애용하는 접시, 매일같이 입는 옷처럼) 손에 잡히는 구체적인 것일 수도 있습니다. 집착의 대상에는 잠재력이 있어요. 대상 그 자체 때문이 아니라 집착하는 힘, 그리고 열정과 흥미가 엮이는 방식에 따라 내가 구성되기 때문이죠. 무엇에 집착하는지 탐구해 가면 당신이 누구인지, 그리고 무엇이 당신에게 영감을 주는지 더 잘 이해하게 돼 새로운 연결로 확장해 나갈 수 있어요. 그리고 당신만의 목소리를 창의적으로 낼 수 있어요.

흥미 있는 대상이

당신만이 가진 이야기의 시작점입니다.

나만의 컬렉션에 대해
기록해 보세요

컬렉션에 대해 생각해 볼까요? 컬렉션은 특정 품목을 다양하게 수집한 걸 말해요. 값을 매길 수 없는 그림, 은으로 된 티스푼, 책, 우표, 조개껍데기, 장신구, 배지나 조약돌 등을 수집할 수 있죠. 이 컬렉션을 흥미롭게 하는 건 수집한 사람의 스토리예요.

현재 진행 중이거나 어린 시절 만들었던 당신만의 컬렉션에 대해 생각해 보고 다음 질문에 대한 답을 일기장에 적어 보세요.

◆ 무엇의 컬렉션인가요?

◆ 어디에 저장 혹은 전시하나요?

◆ 얼마나 큰가요?

◆ 이 컬렉션을 완성하는 데 얼마나 걸렸나요?

- 컬렉션을 의도적으로 시작했나요, 아니면 자연스럽게 컬렉션으로 발전했나요?
- 당신의 컬렉션은 당신에게 무엇을 의미하나요?
- 어린 시절에 완성한 컬렉션이라면 그때로 돌아가 지금의 삶으로 가져오고 싶은 부분이 있나요?
- 현재 진행 중인 컬렉션이라면 앞으로 어떻게 발전시켜 나갈 계획인가요?

당신의 컬렉션에서 물품을 한두 가지 골라 관련된 이야기를 들려주세요. 어떤 것들인지 묘사하고 어떻게 그리고 왜 입수하게 됐으며 처음 입수했을 때 어떤 느낌이었는지 알려 주세요.

이런 수집이 당신에게 활기를 불어넣어 줬다고 생각하나요? 만약 그렇다면 당신의 창의적 목소리에는 어떤 영향을 미쳤을까요?

개인적으로 나는 수집광이에요. (누군가는 비축광이라고도 하죠.) 내 컬렉션을 보면 나의 집착과 흥미의 변천사를 한눈에 알 수 있습니다. 한참 수공예에 빠져 있을 땐 지역 자선 매장에서 뜨개질바늘을 무지개색에 맞춰 일곱 자루를 구입해 커다란 병에 가득 채워 놨어요. 주방 싱크대 위에는 여름휴가를 여러 차례 보낸 프랑스에서 벼룩시장을 다니며 입수한 파란색과 하얀색의 프랑스풍 주전자가 줄지어 놓여 있고요. 그뿐 아니라 나는 캔버스 유화와 빈티지 카메라도 모으고 자연물 컬렉션 역시 매일같이 품목이 늘어나고 있습니다. 바다 유리, 투명한 조약돌, 도넛 모양의 돌, 장작, 조개껍데기와 이삭의 유혹은 결코 저항할 수 없죠. 내가 집착하는 대상은 휴대폰 속 앨범에도 가득해요. 낡고 예쁜 창, 일렁이는 빛의 조각이나 안개 낀 풍경을 마주하면 사진 찍지 않고는 못 배기거든요.

휴대폰 속 앨범 혹은 노트북을 쭉 훑어보세요. 당신이 소중히 여기고 또 관심을 느끼는 게 무엇인가요? 순수한 흥미를 지속적으로 느끼는 주제 혹은 대상을 찾아보세요. 이런 것들에 왜 흥미를 느끼는지 말로 표현할 수 없겠지만 지금은 그냥 그렇다는 사실을 인지해 보세요. 당신이 집착하는 대상은 당신의 스토리가 시작되는 지점입니다. 다음번 이야기는 당신이 집착하거나 흥미를 느끼는 대상 중 하나로 시작해 보세요. 시인 메리 올리버는 (우리가 집착하는 대상, 외부 세계와 내면의 목소리에) 관심을 기울이면 자연히 경이로움을 느끼게 될 거라고 말했습니다. 당신만의 목소리로 이 특별한 경이로움을 창의적으로 표현함으로써 무엇이 당신을 살아 숨 쉬게 하는지 알게 될 거예요.

당신의 목소리에는 당신이 사랑하고 소중히 여기는 것뿐 아니라 당신이 어디에서 무엇을 보고 배우고 경험하고 또 실천했는지가 모두 스며들어 있어요. 누구인지 드러내는 것이죠. 당신이 더 많은 노트를 채우고 더 많은 사진을 찍으며 더 많은 이야기를 전할수록 당신의 목소리는 더 강력해질 거예요.

소소한 이야기라도 나만의 목소리가
담겨 있다면 힘이 생깁니다.

나의 시각적 취향을 찾아봅시다

당신이 찍은 사진들을 살펴보며 일맥상통하는 이야기 혹은 뼈대를 찾아봅시다. 찍은 사진 중 가장 좋아하는 열 장을 추려 보세요. 컴퓨터 화면상으로 볼 수도 있고 인쇄해 테이블 위에 펼쳐 놓거나 아니면 인스타그램 피드를 뒤져볼 수도 있죠.

사진들을 세심하게 살펴보고 다음 질문들의 답을 노트에 적어 보세요.

◆ 주로 사용된 색상이 무엇인가요?
◆ 사진의 색감이 따뜻한 느낌인가요, 아니면 차가운 느낌인가요?
◆ 색상이 흐릿한가요, 아니면 선명한가요?
◆ 어떤 유형의 이미지들인가요? (예. 인물, 풍경, 클로즈업, 인테리어, 활

동, 정물 등)

◆ 어떤 테마나 주제가 반복적으로 등장하나요?

◆ 이 사진들을 통틀어 묘사할 수 있는 단어를 세 개만 적어 보세요.

(예. 쓸쓸한, 몽환적인, 황량한, 기발한, 도시적인, 마음이 따뜻한, 고요한 등)

이 같은 이미지에 표현된 당신의 시각적 목소리에는 아마 적극적으로 발전시키고 싶은 요소가 있는가 하면 완전히 바꾸고 싶은 요소도 있을 거예요. 지금은 당신의 시각적 목소리가 그리 강력하거나 두드러지지 않을 수 있습니다. 들릴 듯 말 듯한 속삭임으로 이제 겨우 모습을 드러내는 중일 수 있죠. 하지만 괜찮아요.

당신은 스토리텔링이라는 창조적 여정을 진행 중이에요. 연습한다고 해서 반드시 완벽해지는 건 아니지만 머릿속 이미지에 더 가까워질 수 있을 겁니다. 시각적 스토리를 더 많이 이야기할수록 당신의 스토리텔링 목소리도 더 강력해질 거예요. 어떤 주제, 색상, 테마와 이미지 스타일을 원하는지 알고 있어야 당신만의 고유한 시각적 목소리를 개발할 수 있습니다.

당신이 가장 획득하고 싶은 스토리텔링의 시각적 목소리를 세 단어로 묘사해 노트에 적어 보세요. (이는 위에서 예로 들었던 단어들과는 다를 거예요.) 그리고 이후 며칠간 카메라나 휴대폰을 집어들 때마다 이 세 단어를 떠올리고 그중 하나 이상의 감정을 당신이 찍은 이미지에 부여해 보세요.

당신의 창의적 목소리는 작고 경직돼 있는 당신 내면의 목소리, 당신 자신으로 만드는 목소리를 찾을 때 시작됩니다. 여기에는 수많은 요소가 축적돼 있는데 그중 하나가 감정일 거예요. 우리의 창의적 목소리는 기쁨, 행복, 호기심과 축복에서 비롯될 수 있지만 분노, 두려움이나 고통 역시 시작점이 될 수 있어요. 창의성이 시작되는 감정의 근원은 미묘합니다. 여러 가지, 혹은 모든 감정적 요소가 복합적으로 합쳐진 지점이거든요. 이유가 무엇이든 다양한 순간, 경험, 사람들, 장소와 기억이 우리에게 머물고 심지어 따라다니면서 우리의 이야기를 전하도록 이끌어 줍니다. 창의적 목소리는 내면 깊숙한 곳, 당신이라는 사람의 심장부에서 나옵니다. 우리가 창의적 목소리를 내게 되는 이유는 셀 수 없이 많아요. 표현하거나 도망치거나 이해하거나 기억하거나 혹은 심지어 구원받기 위해서죠. 당신의 창의적 목소리가 어디에서 시작되었든 지금 이 순간, 즉, 당신이 전하고자 하는 이야기로 이끌어 준 것만은 분명해요. 당신의 창의적 목소리가 시작되는 지점은 당신의 힘으로 어떻게 할 수 있는 영역이 아니지만 그 목소리의 목적지에는 영향을 미칠 수 있습니다. 당신이 글을 쓰거나 창작을 함으로써 지향하는 곳은 어디인가요?

　당신이 전달하고 싶은 소소한 이야기의 감정적 중심을 향해 써내려 가세요. 독자를 위해 쓰든 아니면 당신 자신을 위해 쓰든 진실을 당신 글의 핵심으로 두면 창의적 목소리를 발전시켜 나갈 수 있을 겁니다. 당신의 이야기를 전하는 게 두려울 수 있다는 걸 나도 잘 알아요. 일단은 누군가 당신의 글을 읽는다는 사실 자체를 잊으려고 노력해 보세요. 당신의 노트는 누구도 침범할 수 없는 당신만의 공간입니다. 그 어떤 기대나 압력 따위는 끼어들 틈 없이 펜, 노트, 카메라와 당신이 전하는 소소한 이야기만이 존재하죠. 당신이 쓰고 있는 글의 목적 즉, 진실을 전하는 데에만 집중하세요.

　소소한 이야기를 쓰기 시작할 때 처음 시작하는 문장이 곧 당신의 목소리를 구성하게 될 거예요. 이야기를 전할 때 어떤 어조를 사용하게 되던가요? 가볍고 재밌거나, 진심과 슬픔이 묻어나거나, 확신이 없고 망설이는 듯하거나, 너무 복잡한 데다 미사여구까지 많을 수도 있죠. 당신이 이 이야기를 친구에게 큰 목소리로 전하고 있다고 상상해 보세요. 시작을 어떻게 하겠어요? 말할 때의 목소리처럼 스토리텔링을 하는 당신의 목소리 역시 진실하게 드러내되 분명하게 전달할 수 있어야 해요. 아무리 소소한 이야기라도 시작을 여는 문장에는 힘이 있어야 합니다. 화자와 청자가 연결되는 순간이니까요. 독자가 당신의 세계로 한 발짝 더 다가와 이야기에 귀 기울이도록 가까이 끌어당길 기회이기도 하고요. 나는 소소한 이야기를 쓸 때 첫 문장을 쓰는 게 언제나 가장 어렵더라고요. 나의 스토리, 그중에서도 스토리의 핵심과 그게 내게 무엇을 의미하는지 고민하고 독자들을 곧장 그곳으로 이끄는 데 가장 적합한 단어를 찾으려고 노력해요. 이 첫 문장이 제대로 구현돼서 나머지 이야기가 편안하게 흘러가기 시작하면 나의 목소리를 내게 된다는 걸 나는 압니다. 이야기의 시작을 종종 '후크'라고도 부르는데 독자들을 후크로 걸어서 계속 읽게 만든다는 의미예요. 이렇듯 당신의 스토리를 여는 문장이 바로 후크입니다. 이는 독자의 관심을 사로잡아 당신의 목소리에 귀 기울이도록 만들죠.

당신은 특정 스토리텔러에 친밀한 연결감을 느껴 본 적이 있나요? 그게 작가나 사진가, 다큐멘터리 감독이나 당신이 소셜 미디어에서 팔로우하는 이 중 누가 됐든 그들에게는 당신을 사로잡는 목소리가 있었을 거예요. 그 목소리로 당신을 그들의 이야기로 끌어들여 마치 그들을 아는 것처럼 느끼도록 만들 거예요. 책을 읽든 전시회에 가든 인터넷상에서 활동하는 어느 스토리텔러의 글을 구독하든 우리가 이

끌리는 건 그들의 창의적 목소리입니다.

장르와 상관없이 당신이 가장 좋아하는 스토리텔러 중 한 명을 떠올려 보세요. 그의 목소리 중 어떤 부분에서 그를 분명히 알아차릴 수 있나요? 당신이 사랑하는 그만의 화법은 어떤 게 있나요? 우리가 사랑하는 창의적 목소리에서 그만의 고유한 강점을 생각해 보면 나만의 창의적 목소리를 구축하는 데 도움이 될 수 있습니다. 다른 이의 목소리를 똑같이 따라 하라는 얘기가 아니에요. 그 목소리는 어떻게 구성돼 있는지 생각해 보라는 거죠. 그들이 선택한 주제, 어휘와 디테일뿐아니라 (시각적 목소리의) 색감과 (글에서 드러난 목소리의) 어조까지 분석해 보세요. 이 사람의 목소리에서 어떤 부분이 당신을 그토록 사로잡는 걸까요? 그의 목소리에 고유성을 부여하는 게 무엇일까요? 글을 읽거나 사진을 볼 때면 이것이 단 한 사람에 의해 창조됐으며 이 스토리텔러가 분명한 창의적 목소리를 가졌다는 사실을 곧장 떠올리도록 하세요. 이제 같은 질문을 당신 자신에게 던져 보세요. 당신의 목표는 다른 누군가의 창의적 목소리를 답습하는 게 아니라 그것을 고유하게 만드는 게 뭔지 이해하고 그 지식을 활용해 당신만의 목소리를 분명하고 힘 있게 만드는 거예요. 물론, 이 스토리텔러에게서 당신과 비슷한 뭔가를 발견하고 이끌렸던 것일 수 있습니다. 하지만 당신의 목소리는 오로지 당신만의 것이에요.

소셜 미디어 계정이나 블로그 등으로 인터넷에 당신의 이야기를 공유하고 있다면 당신이 게시한 모든 글을 연결하는 실마리가 바로 당신의 목소리입니다. 이를 통해 유머 감각을 발산하거나 부족한 점을 고스란히 드러낼 수도 있죠. 솔직하고 진실한 목소리를 가지려면 취약한 점도 보여 줘야 해요. 독자가 글이나 사진 뒤에 있는 사람을 제대로 알 수 있게 해주세요. 이따금 약한 면을 보여 주는 것보다 독자를 당신의 스토리에 가깝게 끌어들이는 것은 없습니다. 하지만 그럼에도 진심으로 공유하는 것과 지나치게 드러내는 것 사이에서 균형을 잘 잡아야 해요. 물론 그 균형점이 어디인지는 개인마다 다를 거예요. 개인적으로 나는 아름답고 평온한 광경의 사진을 선별해 공유하는데 인스타그램 공개 계정은 내 삶의 일부이고 이 계정만큼은 혼돈을 배제한 채 평화롭게 유지하는 게 내게 고요와 창의적 충만함을 가져다주기 때문이에요. 하지만 내가 완벽한 삶을 사는 척 연기하고 있는 건 아니에요. 오히려 평화로운 광경 이면의 실상을 전하기도 하고 내 이미지에 멘트를 달아 허점을 드러내기도 하죠. 그렇게 나의 이야기를 공유하는 거예요. 나는 인스타그램 비공개 계정도 갖고 있어서 가족이나 친구들과 좀 더 내밀한 순간을 공유합니다. 모두가 이렇게 운영하는 건 아니겠지만 나는 이게 편해요. 결국 나의 이야기니만큼 책임은 내게 있죠. 당신도 마찬가지고요. 당신의 이야기는 다른 누구에게 빚진 게 아니니 삶의 디테일을 빠짐없이 보여 줄 필요는 없어요. 하지만 전하기로 마음먹은 소소한 이야기에서는 부디 자신에게 진실해지세요.

　몇 년 전 어느 봄날, 나는 내 집 정원의 작은 나무에서 하얀 꽃을 한 바구니 땄다. 이 나무에서 핀 꽃은 불과 며칠이면 금세 죽어 버려서 또 1년을 기다려야 하기에 사진으로 남기고 싶었다. 집은 언제나처럼 난장판이었고 마땅한 공간을 찾기 힘들어 나는 이 바구니를 낡은 나무 계단 위에 놓고 사진을 찍었다. 이후 이 사진을 인스타그램에 게시했을 때 너무도 많은 이들이 내 계단을 사랑스럽다고 해서 얼마나 놀랐는지 모른다. 여기저기 긁히고 찍힌 데다 통로용 양탄자가 있던 자리 양쪽으로 빛바랜 하얀색 페인트가 벗겨지기까지 한 계단이었다. 고백하건대 이 계단을 분명 애정하지만 다른 사람들도 매력을 느낄 거라고는 전혀 예상하지 못했다. 하지만 이렇게 완벽함과 거리가 먼 계단에 뭔가가 있는 게 분명했다. 어쩌면 백년 가까운 시간 동안 이 계단을 오르내렸을 사람들의 이야기가 사람들의 상상력을 사로잡았는지도 모르겠다.

　나는 내 계단을 배경으로 또 다른 사진을 찍어 게시하는 실험을 했다. 이번엔 과일청을 만들기 위해 동네에서 아이들과 함께 주운 딱총나무 꽃을 계단에 올려 두었는데 또 한 번 예상치 못한 호응을 얻었다. 나는 계단을 완전히 새로운 시각으로 보기 시작했

고 시간이 흐르면서 이 모티브를 더욱 발전시켜 보기로 했다. 나의 계단에 정물을 전시해 흘러가는 계절의 이야기를 기록하기로 한 것이다. 가을에는 숲에서 밝은 노란색의 너도밤나무 잎을 주워와 놓았고 겨울에는 눈 덮인 좀사위질빵 화환을, 봄에는 내 침실 창 앞의 나무에서 벚꽃을 따다 놓는가 하면 여름에는 다정한 친구의 정원에서 꽃다발을 한 아름 가져다 놓았다. 계단 위에 자연물로 구성된 정물을 놓는 게 내 프로젝트의 단순한 규칙이었다. 하지만 그 속에서 이렇게나 다양한 이야기를 펼쳐 보일 수 있다는 사실에 나는 놀라지 않을 수 없었다.

고유하게 활용할 수 있는
모티브를 설정해 보세요

시각적 스토리텔링 목소리를 실험하는 한 가지 방법은 창의적 사진 찍기 프로젝트에 지속적으로 도전하는 겁니다. 이따금 이런 성격의 프로젝트가 자연히 생겨날 때가 있어요. 나의 계단 시리즈가 그랬던 것처럼요.

사진 찍기 프로젝트에 착수하는 건 창의성을 발전시키고 창의적 목소리를 강화하는 최고의 방법입니다. 당신이 이전에 찍었던 사진들을 살펴보면서 다시 한 번 도전해 발전시킬 수 있는 특정 테마, 장소나 이미지 유형이 있는지 고민해 보세요. 여기서 내가 몇 가지 제안을 하겠지만 당신의 목소리를 최대한 발전시킬 수 있는 프로젝트는 당신이 자연스럽게 이끌리는 테마의 프로젝트입니다. 그러니 고유한 관점과 흥미를 반영한 스토리텔링 프로젝트를 설정해 보세요.

◆ 테이블 혹은 책상 위

식탁이나 책상 위 모습을 지속적으로 사진 찍어 한 해 동안의 변화를 이야기하는 프로젝트는 어떨지 고민해 보세요.

◆ 당신 집 안의 어느 한 코너

집 안에 지저분한 계단은 없을지 몰라도 사진 프로젝트의 배경으로 쓸 만한 창턱, 의자나 선반은 있을 거예요. 이 코너를 배경으로 활용해 계절의 이야기를 해보면 어떨까요?

◆ 책들

읽은 책, 그리고 그 책을 읽은 장소에 대한 이야기를 흥미롭게 전달할 방법이 있을까요?

◆ 음식

요리하고 먹은 음식에 관한 이야기를 전할 만한 프로젝트를 고민해 보세요.

고유하게 활용할 수 있는 모티브를 설정해 구체적인 이야기를 들려주세요. 몇 가지 간단한 규칙을 정해 보세요. 사진의 어떤 요소들을 항상 동일하게 가져가고 또 어떤 요소들을 변화시킬지 결정하세요.

가장 중요한 건 이 실험이 재미있어야 한다는 겁니다. 만약 이 사진들을 소셜 미디어에 공유할 경우 매번 신선하고 새롭고 또 다른 사진을 찍어야 한다는 강박이 생길 수 있어요. 하지만 사실 동일한 모티브를 반복적으로 활용하는 게 오히려 독자를 늘리는 방법일 수 있습니다. 독자들은 당신에게 무엇을 기대하는지 스스로 알 뿐 아니라 당신이 사용하는 소품의 예측 가능함과 익숙함에서 심지어 편안함까지 느낄 테니까요.

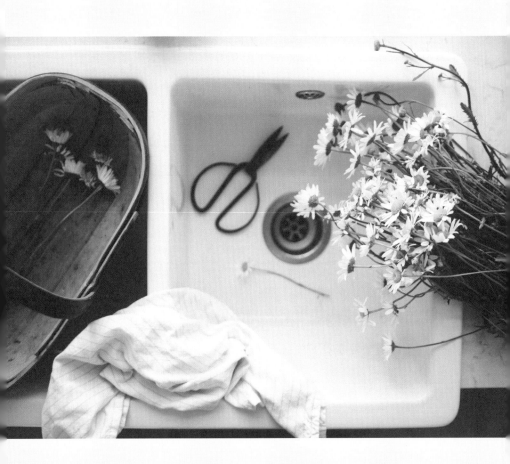

소셜 미디어는 완벽하고 행복한 삶을 과시하는 타인들로 가득 차 있어요. 우리는 때로 아무 생각 없이 스크롤을 내리면서 그들을 구경하는 것으로 시간을 죽이죠. 여기서는 전시된 완벽함이 전부인 것처럼 받아들이기 십상이지만 신중하게 선택된 프레임 밖에는 항상 또 다른 이야기가 있다는 걸 기억해야 해요. 사진을 조금만 벗어나면 허점, 심지어 혼돈이 펼쳐지고 있을 가능성이 높은 거죠.

사진 프레임 안에 무엇을 넣을지는 순전히 선택의 문제입니다. 그 안에 포함되는 요소도 있고 배제되는 요소도 있겠죠. 겉보기엔 아무리 완벽해 보여도 완벽한 삶이란 존재하지 않습니다. 프레임 바깥의 삶은 복잡하고 엉망진창이죠. 우리 중 허점이 없는 사람은 없으니 아무쪼록 관대해지세요. 다음번에 인터넷상에서 누군가를 관찰하며 자신과 비교하는 당신을 발견한다면 즉시 멈추고 자신의 감정을 살펴보세요. 당신에게 열등감이나 좌절감을 주는 요소를 정확히 구분할 수 있는지도 알아보고요. 멋스러운 집이나 이국적인 여행, 근사해 보이는 아침 식사나 흠잡을 데 없는 의상이 부러웠을 수 있습니다. 사진 기술이나 커리어 부문의 성과가 비교돼 괴로운 것일 수도 있죠. 이렇게 부정적인 감정을 긍정적 행동으로 전환할 방법이 없을지 한번 생각해봅시다.

타인의 성취를 인정하는 건 좋은 자극제가 될 수 있습니다. 실제로 나는 동료 작가의 출간 계약 소식을 접하고 가슴이 철렁 내려앉는 느낌을 받으면서 책을 쓰는 것이야말로 내가 진정 원하는 일이라는 사실을 깨달았죠. 만약 당신도 이런 느낌을 받았다면 이제 소셜 미디어 구경은 그만하고 당신만의 창의적 혹은 개인적 목표를 향해 작은 한 걸음을 내디뎌 보세요.

소셜 미디어를 할 때 우리는 모두 무엇을 공유할지 끊임없이 선택하는데 그 선택은 아마 매일같이 달라질 거예요. 어떤 날은 슬프거나 부정적이거나 복잡한 경험을 공유해 현실의 쓴맛을 보여 주고 같은 기분인 이들과 연결감을 느끼고 싶을 수 있습니다. 반대로 삶의 아름다움만을 축복하고 또 과시하고 싶은 날도 있을 수 있고요. 이 두 가지 접근법이 상호 배타적인 것만은 아닙니다. 삶이 그렇듯 스토리 역시 복잡함과 동시에 아름다울 수 있죠. 당신의 스토리를 한데 엮고 당신의 독자를 더 가까이 끌어당기는 건 그 스토리를 전하는 데 사용된 당신만의 고유한 목소리입니다. 소셜 미디어는 당신과 비슷한 삶을 사는 이들뿐 아니라 목소리, 배경 및 경험이 전혀 다른 이들과도 연결해 줍니다. 이는 우연히 생긴 일이 아니에요. 다른 목소리를 가진 이들을 수소문해서 발견하고 또 교류하겠다고 우리가 선택한 거죠. 나와 다른 배경의 사람들이 나눠 주는 스토리에 귀 기울이고 또 교감할 때 우리는 충만해질 수 있습니다. 배우고 공감하며 우정도 쌓고 전혀 다른 관점에서 세상을 바라볼 수도 있죠.

이야기를 쓸 때는 당신의 소셜 미디어 계정 팔로워나 가족, 혹은 미래의 자신 중 타깃 독자층이 누구인지 이미 알고 있을 거예요. 공개적으로 내는 목소리는 사적으로 내는 목소리와는 미묘하게 다를 거예요. 일기는 그 어떤 평가도 받지 않는 글을 쓰게 해주죠. 자기 자신에게 이야기하는 게 바로 일기니까요. 시간이 지나면서 일기는 자신의 목소리를 탐험할 수 있는 실험의 장이자 창의적 스토리텔링의 소재가 될 만한 재료의 원천이 될 수 있습니다. 창의적 목소리는 고요한 내면의 목소리에서 비롯되는데 이는 사생활을 다룬 일기에서 더 적극적으로 표현되기 마련이죠. 지속적으로 스토리텔링을 연습하면 당신이 누구인지 기록할 수 있을 뿐 아니라 나중에는 당신이 한때 누구였는지도 이해할 수 있어요.

chapter 7

다양한 관점으로
삶을 바라보는
눈을 길러 보세요

우리 모두는 타고난 스토리텔러예요

　이야기는 우리 삶의 모든 순간에 빠짐없이 존재합니다. 하루하루를 살아가고 그 안에서 의미를 발견할 수 있도록 도와주기도 하고요. 이야기를 경험하는 방식은 (책, 영화, TV 드라마와 연극 같은) 허구에 한정되지 않습니다. 뉴스 역시 역사 및 국가 정체성처럼 이야기의 형태로 우리에게 전달되죠. 이야기는 지속적으로 우리의 관심을 받아 왔습니다. 온 세상을 이해하는 방법이 이야기인 거죠.

　개개인은 각자의 인생 이야기라는 모호한 틀 안에 존재해요. 그 이야기는 수많은 소소한 이야기로 구성되고요. 우리는 그 안에서 살지만 가끔은 잊으려고 노력하기도 합니다. 그러나 술집, 카페에서 혹은 학교 정문에서 우리는 친구들과 이야기를 주고받아요. 하루가 끝날 무렵 저녁 식사 자리에서 공유할 수도 있고요. 스토리텔링은 우리를 인간으로 존재하게 하는 열쇠이며 우리는 모두 타고난 스토리텔러예요. 이야기를 듣고 말하며 또 살아가니까요. 이야기는 어디에나 있습니다.

우리가 모두 알고 있는 것처럼 이야기에는 전통적으로 시작과 중간, 끝이 있습니다. 우리의 소소한 이야기에도 시작과 중간, 끝이 이야기의 첫머리를 있죠. 전하기로 선택한 소소한 이야기 하나하나는 우리 삶의 더 크고 중요한 이야기에서 떼어 낸 짧은 에피소드입니다. 우리 삶의 일부만을 전해야 할 때 처음을 장식할 최고의 순간은 어떻게 선택해야 할까요? 모든 순간에는 그보다 앞선 순간들이 켜켜이 쌓여 있습니다. 우리의 소소한 이야기는 계속 쌓여 가는 중이어서 어떤 면에서는 시작된 것도 끝난 것도 아니라고 할 수 있어요. 이야기의 세계에서는 시간이 다르게 흘러가요. 압축돼 있고 언제나 명확한 선형도 아닙니다. 소소한 이야기의 시작을 무엇으로 할지 선택할 때 우리는 변화의 조짐이 보이던 순간(변화가 왜 일어났는지 설명해 주는 사건)을 찾을 수도 있고 아니면 이야기의 중심인 변화 그 자체로 곧장 뛰어들어 시작할 수도 있습니다.

다양한 기법으로
짧은 글쓰기 연습을 해봅시다

마이크로 픽션으로도 알려진 플래시 픽션은 상당히 짧은 분량의 소설 장르입니다. 단어 수는 천차만별이지만 150~1000개 단어 사이인 경우가 많죠. 우리 삶의 소소한 이야기를 소설 장르로 치자면 플래시 픽션이라고 할 수 있어요. 이는 플래시 픽션 집필에 유용한 기술을 당신 삶의 소소한 이야기를 쓰는 데에도 적용할 수 있다는 의미입니다. 다음의 조언들을 함께 살펴볼까요?

◆ 곧장 뛰어들기

이야기의 한가운데서 시작해 보세요. 도입부를 거치거나 분위기를 조성할 것 없이 핵심 사건이나 변화의 순간에서 이야기를 시작하세요.

◆ 당신의 목소리가 돋보이게 쓰기

짧은 이야기에서는 서사를 풀어 가는 목소리가 무기입니다. 당신의 목소리가 독자들을 곧장 이야기 속으로 끌어당겨야 하는 거죠. 그래서 독자들이 무슨 일이 벌어졌는지 궁금해하고 더 많은 이야기를 듣고 싶어 해야 합니다. 당신의 목소리가 따뜻하게 들리길 바란다면 이미 잘 알고 신뢰하는 누군가에게 이야기하는 투로 글을 써보세요.

◆ 정확한 어휘 활용하기

짧은 이야기에서는 특정 사건이나 형상에 대한 설명을 길게 늘어놓을 여유가 없습니다. 짧은 문구 혹은 문장만으로 당신이 설명하고 있는 게 무엇인지 정확히 보여 줄 수 있어야 하죠. 정확한 어휘를 사용하세요.

◆ 한 가지 감정에 집중하기

짧은 이야기에서는 복잡한 감정을 펼쳐 보일 여유가 없습니다. 한 가지 감정만을 선택해 집중적으로 보여 주세요. 당신이 느꼈던 감정도 좋고 독자들이 느꼈으면 하는 감정도 좋습니다. 마찬가지로 이야기에 감각적 인상을 삽입하고 싶다면 한 가지 감각을 선택해 집중하세요.

◆ **뇌리에 각인될 마지막 문장 만들기**

　이야기의 첫 문장이 당신의 목소리를 설정한다는 점에서 중요하다면 마지막 문장은 독자들의 머릿속에 각인될 어휘라는 점에서 역시 중요합니다. 독자들에게 생각할 거리를 선사할 문장을 만들어 보세요.

　위의 조언들을 활용해 당신 삶의 소소한 이야기를 적어 보세요. 현재의 이야기도 좋고 과거의 에피소드도 좋습니다.

구도를 이용해 당신의
시각적 이야기를 찍어 보세요

당신은 카메라 뷰파인더나 휴대폰 액정 화면을 들여다보며 이미지를 구성합니다. 무엇을 포착할지 선택하고 프레임 속 어느 지점에 배치하면 좋을지 선택하죠. 그렇게 해서 독자의 시선을 이끌고 이미지 속 어느 부분에서 쉬면 좋을지도 알려 줘요. 만약 이런 선택을 의식적으로 할 수 있다면 강렬한 이미지를 창조해 구체적인 이야기를 전할 수 있습니다.

사진 구성의 기법 일부를 활용해 시각적 이야기를 전달할 수 있어요.

◆ 삼분할 구도

당신이 찍은 이미지를 수평선 두 개, 수직선 두 개를 활용해 아홉 개의 똑같은 구획으로 나눴다고 상상해 보세요. 우리 눈은 자연스럽게 이 두 선이 교차하는 지점으로 끌릴 거예요. 삼분할 구도는 사진 찍을 장면의 가장 중요한 요소를 이들 선에 따라 혹은 교차점에 배치하여 찍는 구도를 말해요. 우리 눈은 왼쪽에서 오른쪽으로 움직이는 경향이 있어요. 삼분할 구도의 사진은 우리 눈이 시선을 집중시키는 주요 대상에 도달하기 전에 스토리의 다양한 요소를 훑어볼 수 있게 만들어 줍니다.

◆ 지침선

사진을 볼 때 우리의 눈은 (벽, 펜스나 길처럼) 이미지 속 다양한 선線에 자연스레 이끌려요. 이 선들은 우리를 사진 속으로 끌어당겨 피사체를 응시하게 해주죠. 스토리텔러인 당신은 이미지를 탐험하는 독자들에게 이 선들을 지침으로 제공해야 해요.

◆ 프레임 꽉 채우기

클로즈업 사진의 경우 프레임이 피사체로 가득 찰 만큼 카메라를 가까이 들이대 배경은 거의 보이지 않습니다. 휴대폰 카메라에는 이제 '초상'이나 '클로즈업' 모드가 갖춰져 있어서 이런 효과를 쉽게 달성할 수 있죠. 클로즈업 이미지는 강렬한 인상을 줘서 독자가 당신의 이야기에 곧장 빠져들게 만듭니다. 시각적 디테일에 관한 이야기도 전할 수 있게 해주고요.

◆ 네거티브 스페이스

'프레임을 꽉 채운' 이미지와는 정반대 개념의 네거티브 스페이스 이미지는 피사체 주위로 빈 공간이 많은 걸 의미합니다. 여백의 미가 있다고 생각하면 될 거예요. 네거티브 스페이스는 피사체를 규정하고 또 부각시켜 시선을 집중시키는 한편 눈이 쉴 수 있는 공간이 되어 주기도 하죠. 그 결과 시각적으로 편안하고 균형 잡힌 이미지가 탄생합니다. 스토리텔링의 관점에서 네거티브 스페이스는 규모를 가늠하게 해주거나 독자를 이미지 깊숙이 끌어당겨 마치 피사체에 닿기까지 물리적 공간 여행을 하는 듯한 느낌을 선사합니다.

◆ 프레임 설정

이미지를 구성할 때는 창, 나뭇가지나 아치형 입구처럼 주위에서 볼 수 있는 프레임을 얼마든지 활용할 수 있어요. 사진 가장자리에 그와 같은 프레임을 배치하면 시선을 자연스레 당신의 이야기로 잡아끄는 효과를 누릴 수 있죠. 프레임으로 이렇게 흥미나 신비감을 더할 수도 있지만 언제나 이야기를 가장 효율적으로 전달하는 건 아니에요. 여기서 구도 잡는 걸 중단하고 처음 당신의 눈을 사로잡았던 대상 너머를 한번 살펴보세요. 가장 흥미로운 이야기가 반드시 화면의 중심부에 위치하는 건 아닙니다. 사진 가장자리에 숨어 있어서 자칫 놓치게 될 수도 있어요. 구도를 조금만 바꿔도 새로운 이야기가 탄생할 수 있습니다.

◆ 프레임 너머

프레임 밖에 있는 것도 프레임 안에 놓인 것 못지않게 중요할 수 있습니다. 프레임 너머의 뭔가에 시선을 고정한 사람의 초상, 프레임 너머까지 이어진 길, 프레임 안에는 일부만이 포착된 사물 등이 그와 같은 경우죠. 이런 요소들을 활용하면 단순히 당신의 사진에 한정된 내용보다 훨씬 광범위한 이야기를 암시할 수 있고 또 독자들이 상상력을 발휘해 저 너머의 이야기도 예측해 보도록 부추길 수 있어요.

위에서 제시한 구도 잡기 기술을 하나 이상 활용해 이야기를 전달할 수 있는 사진을 구성해 보세요. 당신의 이야기를 읽은 독자들이 어떤 감정을 느끼고 또 어떤 의미를 발견하길 원하는지 생각해 보세요. 그리고 사진들을 모아 같은 이야기라도 다른 느낌으로 전달할 수 있는 짧은 포토 에세이를 만들어 보세요.

구도를 조금만 바꿔도

새로운 이야기가 탄생할 수 있어요.

화자와 청자의 관계는 역동적입니다. 소소한 이야기를 타인에게 전할 때 우리는 그들에게 나 자신에 관한 뭔가를 들려주며 손을 뻗어야 해요. 그러면 그들은 이야기에 적극 참여하는 방식으로 반응하고요. 청자는 상상력을 발휘해 소소한 이야기에 숨을 불어넣습니다. 우리 이야기 속의 세계를 그들 마음속에 짓고 색채, 질감과 빛을 부여하기도 하면서요. 마찬가지로 시각적 이야기의 관객 역시 프레임 너머에서 일어나고 있을 상황과 그 이유에 대해 상상하겠죠. 스토리텔러인 우리는 관객으로부터 받는 피드백, 즉, 친구의 눈빛이나 바디랭귀지 혹은 내가 소셜 미디어에 게재한 피드의 댓글 등을 통해 우리의 이야기를 섬세하게 수정하고 또 서사를 재구성하기도 합니다.

이야기를 읽거나 사진을 볼 때 우리는 상상력을 발휘해 그 안으로 들어갑니다. 주인공이나 사진가의 자리에 비집고 들어가 잠시나마 그들의 관점에서 세상을 바라보죠.

타인의 행동을 상상하고 예측하며 해석하는 인간의 놀라운 능력을 심리학자들은 '마음 이론'이라고 불러요. 마음 이론은 스토리텔러에게 꼭 필요한 능력이죠. 이야기는 타인의 관점을 고려하고 또 체험하게 해준다는 점에서 우리의 공감 능력을 활용하고 또 발전시켜 줍니다. 덕분에 타인의 상상 속 세계로 여행을 떠날 수 있고 또 스토리텔러와 연대감도 구축할 수 있어요. 당신은 아마 자신과 비슷한 배경이나 기준을 가진 스토리텔러에게 자연스럽게 끌리는 걸 발견할 겁니다. 그들의 이야기에 등장하는 디테일이나 은유가 익숙하고 또 공감이 될 테니까요. 하지만 우리와 살아온 경험이 다른 이들과도 이야기를 통하면 연결될 수 있어요. 이야기는 온갖 다양한 배경과 관점을 가진 이들에게 공감하고 또 연대감을 느낄 기회를 제공해 주죠.

이야기를 전하고 해석하는 데에는 늘 한 가지 이상의 방법이 존재합니다. 여기서 던져야 할 질문은 '굳이 이 이야기가 굳이 이 방식으로 전달된 이유가 무엇인가?' 하는 거죠. 이야기의 중심에는 (조작이나 통제가 아닌) 진실이 있어야 해요. 모든 이야기에는 의도한 것이든 아니든 의미 혹은 근본적인 메시지가 있죠. 그리고 문학을 전공한 학생이라면 알겠지만 이야기는 여러 층위의 깊이 및 다양한 해석과 함께 수많은 의미를 가질 수 있어요. 회고록은 소설과 마찬가지로 문학의 형태이며 우리의 소소한 이야기는 개인적 경험에 기반한 서사적인 글이라는 점에서 회고록 에피소드와 비슷하죠. 그러나 회고록은 사건을 단순히 솔직하고 사실적으로 재구성하는 것 그 이상입니다. 회고록 작가는 지난 시간을 그들의 경험을 돌아보고 깨달음을 통해 뉘앙스를 결정하죠. 그리고 이를 소위 성찰의 목소리라는 제목의 글로 적어서 타인과 공유하죠. '나는 믿었다.', '나는 배웠다.', '나는 깨달았다.', '나는 생각했다.' 혹은 '나는 이해하게 되었다.' 등의 문장이 나올 것이고요. 이는 우리의 스토리텔링에도 적용할 수 있는 글쓰기 기술이에요. 자신의 소소한 이야기를 전할 때 성찰의 목소리를 활용하면 개인 서사에 쓰이는 목소리를 한층 확장할 수 있게 됩니다. 사건에 대한 당신만의 해석을 공유하면 독자가 당신을 가깝게 느낄 수도 있고요. 성찰의 목소리는 특정 관점에서 사건을 해석하고 이면의 의미를 이해해 그 결과로 나온 해석을 나 자신과 독자들에게 확실히 드러내도록 해주는 기술입니다.

이야기를 읽거나
사진을 볼 때 우리는
상상의 날개를 펼쳐
그 안으로 들어갑니다.

성찰의 목소리를 담아
이야기를 써보세요

◆ 당신 삶의 소소한 이야기를 짤막하게 구성해 보세요. 있었던 일을 최대한 간단하게 써내려가 보세요.

◆ 동일한 이야기를 성찰하는 목소리로 다시 써보세요. 그때는 알지 못했지만 지금은 알고 있는 게 뭔지 생각해 보세요. 그런 일이 일어났던 이유 중 알 수 있는 게 있나요? 거기서 무엇을 배웠나요? 그래서 지금은 어떻게 다르게 대처하나요? 지금 당신은 그 사건에 대한 이해, 심지어 지혜까지 갖추고 있을 겁니다.

◆ 당신이 쓴 두 가지 이야기를 모두 다시 읽어 보세요. 어떻게 다른가요? 성찰의 목소리를 구성하는 요소 중 향후 소소한 이야기를 쓸 때 활용할 수 있는 게 있을까요?

우리의 소소한 이야기를 전할 때 모든 이야기의 발단이 되는 변화는 뭔가 시사하는 게 있을 겁니다. 변화는 우리가 한 선택, 우리가 배운 교훈, 우리가 느낀 감각이나 우리가 극복한 갈등을 대변하거든요. 만약 성찰의 방식으로 스토리텔링에 접근한다면 무엇이 변했는지 그리고 그 변화가 무엇을 가르쳐 줬는지도 고민해야 해요. 당신의 소소한 이야기의 의미를 이해한다면 당신 삶의 의미를 통째로 이해하는 데 한 발 더 다가갈 수 있죠. 모든 소소한 이야기의 중심에서 낮은 목소리로 반복되고 있는 질문은 '나는 누구인가?'예요. 나의 이야기를 하는 건 내 삶을 이해하기 위해서이기도 하지만 나 자신을 이해하기 위해서이기도 합니다.

chapter 8

이야기가
극적이어야
좋은 건 아니에요

소소한 이야기가 지닌 공감의 힘을 믿어 보세요

　이야기의 마법이란 복잡한 구성의 소설이나 대서사극에서만 발견할 수 있는 게 아니에요. 소소한 이야기, 특히 당신의 소소한 이야기에도 똑같이 신비한 힘이 내재돼 있을 수 있습니다. 마법은 이야기와 함께 시작됩니다. 당신에 관한 이야기를 할 때 곧장 당신 삶을 향해 난 창을 활짝 열고 독자들이 들여다볼 수 있도록 안내하죠. 독자가 친구든, 미래의 자신이든 혹은 소셜 미디어상의 팔로워든 당신의 이야기는 당신이 된다는 게 무엇을 의미하는지 엿볼 기회를 제공합니다. 이야기는 스토리텔러의 마음과 독자의 마음을 연결해 주는 신비한 창이에요. 이야기가 강력한 이유는 이런 식으로 우리를 타인과 연결해 주는 힘을 지녔기 때문입니다. 우리는 나만의 이야기, 내 삶의 소소한 이야기를 전함으로써 이야기의 힘을 활용할 수 있어요.

당신이 누군가를 처음 만난다고 상상해 보세요. 당신을 처음 소개하는 이야기, 당신이 누구인지 가장 잘 알려 줄 수 있는 이야기를 어떻게 선택하겠어요? 이 질문에는 정답이 있는 게 아니며 당신이 누구를, 왜 만나느냐에 따라 이야기는 달라질 겁니다. 우리의 삶에는 몇 번이고 다시 말하게 되는 핵심 이야기가 존재하기 마련입니다. 우리는 이 스토리를 마지막으로 했던 지점에서 가져와 또다시 전하고 있는 지금 이 순간에 맞게 뉘앙스를 변주하는 데 능숙해요. 지금껏 평생 해 온 일인 만큼 이야기를 어떻게 전하면 좋은지 직관적으로 알고 있지만 그 전달 과정을 좀 더 디테일하게 다듬고 싶다면 싶다면 정보를 수집할 때 사용하는 고전적 질문들을 활용하는 것이 좋습니다.

내 이야기를 전하는 나는 누구인가?

나는 무슨 이야기를 하고 있는가?

나는 왜 이 이야기를 선택했는가?

나의 이야기는 언제 어디서 일어났는가?

나의 이야기를 어떻게 시작해야 할 것인가?

이중 첫 번째 질문은 당신의 소소한 이야기에서 타깃이 되는 독자가 누구인지와 연관됩니다. 당신의 이야기를 기록하는 곳이 일기장이라면 타깃 독자는 당연히 미래의 당신 혹은 훗날 당신과 가장 가까운 사람이 되겠죠. 이야기를 자신에게 전할 때는 독자가 당신인 만큼 가장 내밀한 이야기를 자유롭게 드러낼 수 있습니다. 가장 진실하다고 느끼는 방식으로 각각의 이야기를 전할 수 있으며 시간이 지난 후에도 오늘의 삶을 정확하게 떠올릴 수 있도록 구체적인 디테일을 삽입하고 싶을 거예요. 예를 들어 소셜 미디어에 당신의 이야기를 공유한다면 독자의 범위는 더 넓어지겠죠. 친구와 가족으로만 구성된 가까운 독자층이 있을 수도 있지만 그게 아니라면 당신의 이야기를 공개적으로 하는 셈이에요.

만약 소셜 미디어를 일종의 부업으로 활용한다면 독자가 곧 현재와 미래의 고객이 될 겁니다. 보다 광범위한 독자층을 타깃으로 한다고 해서 당신만의 목소리를 내지 말아야 하는 건 아니에요. 그보다 당신의 삶에 관해 마음 편하게 드러낼 수 있는 범위가 어디까지인지 의식적으로 결정하는 게 중요하죠. 당신의 소소한 이야기 중 독자들에게 가장 큰 호응을 얻고 다시 찾도록 유도하는 게 무엇일지 예상해 보는 것도 도움이 될 거예요. 독자는 모두 소중하지만 언제나 타깃 독자층을 염두에 두고 그에 따라 이야기의 어조를 바꾸는 게 현명합니다. 스토리텔링은 커뮤니케이션의 한 유형이며 스토리텔링 스타일과 주제는 당신이 소통하고 있는 대상이 누구냐에 따라 달라질 거예요.

어떤 이야기를 선택할지는 그 이야기를 받아들일 독자가 누구인가 그리고 어떤 맥락에서 전달될 것인가에 따라 달라지게 돼 있습니다. 일기장에 쓰는 이야기는 이메일로 가족한테 보내는 이야기보다 한층 개인적이고 자기반성적일 수밖에 없죠. 이에 비해 소셜 미디어에 공개 계정으로 게시하는 이야기는 결코 완전히 철회될 수 없다는 전제를 바탕에 깔아야 해요. 온라인에서 자신을 편안하게 드러낼 수 있는 정도의 기준은 사람마다 모두 다릅니다. 나는 사생활을 적절히 지키는 선에서 이야기를 공유하더라도 고유성을 살리는 게 얼마든지 가능하다고 믿어요. 여기서 열쇠는 소소한 이야기에 있죠.

개인적으로 나는 내 삶에서 중요한 사건이나 인간관계의 디테일 같은 건 소셜 미디어에 공유하지 않습니다. 반면 아침에 산책한 이야기, 내가 구운 빵이나 갔던 곳에 관한 이야기는 기꺼이 게재하죠. 이런 이야기를 할 때는 경험 자체뿐 아니라 그에 관한 내 감정도 공유하고요. 이야기에서 자신을 드러내는 정도는 개인마다 다르겠지만 당신의 비밀을 포함해 모든 걸 밝힐 필요는 없습니다. 드러내고 싶은 순간을 독자가 들여다볼 수 있게 해주는 것만으로도 의미는 충분해요. 특정 의미를 갖는 이야기가 있다면 독자들에게도 동일한 의미를 지니도록 만들 수 있어요. 강렬한 감정이 그 의미를 전달해 줄 수 있는 거죠. 강렬한 의미를 지녔거나 내면의 빛이 일어났던 순간, 당신의 내면을 밝혀 준 순간들을 찾아 감정적으로 울림을 주는 소소한 이야기를 전해 보세요.

당신이 굳이 그 이야기를 선택한 이유를 생각해 보면 그 이야기가 의미하는 바가 뭔지 알게 될 거예요. 두세 해 전 여름에 일어났던 나의 소소한 이야기를 예로 들어 볼게요.

여름 안개. 너무나 드물고 일순간 나타났다 사라지며 너무나 시원해 달콤한 위안을 주는 존재. 내가 머리를 말리는 사이 남편이 커튼을 열더니 이렇게 소리쳤다. "숲에 안개가 끼었어!" 친구에게서도 똑같은 메시지가 왔다. '지금 숲 봤어?' 등교 시간까지 여유가 좀 있어서 나와 아이들은 숲을 통해 돌아갔다. 아이들은 길을 따라 달리며 "이쪽이야, 엄마, 이쪽에 안개가 있어!"라고 소리쳤고 나는 은빛 공기가 내 피부에 닿는 걸 느끼면서 재빨리 사진을 찍어 댔다. 시간에 쫓긴 우리는 나무와 들판에 작별 인사를 전하고 서둘러 학교로 향했다. 아침의 고요를 그날 하루를 위한 부적처럼 간직한 채.

내가 이 이야기를 선택한 건 그 순간의 짧은 기적을 기록하고 보존하고 싶었기 때문이에요. 나는 그날 곧장 이 이야기를 써서 아침의 숲 사진과 함께 인스타그램에 공유했어요. 그때쯤 내 아이들은 학교에 있었고 숲의 안개는 이미 사라진 후였죠. 큰아들이 초등학교에서 보내는 마지막 여름이었던 만큼 이후의 아침은 사뭇 달라질 거라는 사실을 알고 있었어요. 즉흥적 모험 같은 건 더 이상 선택할 수 없어지는 거죠. 나는 아침에 느꼈던 자유로움을 최대한 오랫동안 누리고 싶었습니다. 이 소소한 이야기는 일종의 책갈피로서 다시 돌아갈 기억의 좌표 같은 거예요. 독자들에게 나는 이 경험의 정수를 그대로 전달하고 싶었어요. 내가 안개를 사진 찍는 걸 좋아한다는 사실을 알고 있었던 내 남편, 그리고 내 친구에게도요. 그들이 나를 떠올려 준 덕분에 그날 아침의 모험이 가능했기에 고마운 마음을 전하고 싶었습니다. 그리고 이 이야기를 기록한 건 무엇보다 미래의 나 자신을 위해서였어요. 그날 아침에 찍은 사진이 그 순간을 떠올려 줄 거라는 사실을 알았지만 글을 덧붙임으로써 내 피부에 닿은 안개의 느낌이 어땠는지, 그 순간 내 아이들이 얼마나 좋아했는지, 그들의 목소리가 나무들 사이에서 어떻게 울려 퍼졌는지 분명히 기억하고 싶었죠. 내게 소소하고 소소한 이 이야기는 이야기 자체보다 훨씬 거대한 뭔가를 의미합니다. 자유, 아름다움, 우정과 사랑이 담겨 있으니까요.

아주 소소한 이야기들이 서사의 기본 구조를 갖기는 하지만 시의 구조를 빌려 쓸 수도 있어요. 시와 마찬가지로 소소한 이야기도 어떤 감정이나 경험을 최소한의 단어를 사용해 포착합니다. 즉각적이고 집중적인 형태의 스토리텔링인 거죠. 우리 삶의 소소한 이야기는 반드시 줄거리를 갖는다기보다 생각이나 사건, 감각의 기록으로서 전반적

인 인상을 간결하게 보여 주는 경우가 많습니다. 이건 시의 특징과 비슷하지요. 소소한 이야기를 내 노트에 먼저 적어 보면 자유롭게 이런저런 시도를 하며 쓸 수 있어요. 당신의 이야기를 전하는 데 오답이란 존재하지 않습니다. 그 이야기의 주인은 당신이니까요. 글쓰기를 위한 영감은 독서를 통해 가장 많이 얻을 수 있고 시 역시 스토리텔러에게 많은 걸 줄 수 있어요. 평소 시를 읽지 않는다면 이번 기회에 시집을 펼치거나 인터넷에서 시를 검색해 보면 어때요? 소소한 이야기도 시처럼 의미의 층위가 다양하게 존재합니다. 단명한 표면적인 의미도 있지만 그 안에 깊숙이 내재된 의미도 있기 마련이죠. 그리고 이 내재된 의미를 통해 당신이 누구인지 알려 줘요.

인간은 스토리텔링에서 드러나는 패턴(반복된 요소, 시작으로의 회귀 혹은 예측 가능한 형태)에 긍정적으로 반응하지만 대조에도 똑같이 반응합니다. 병치는 모든 장르의 예술가들이 사용하는 기법으로서 쌍을 이루는 요소를 나란히 배치해 차이를 강조하고 대비를 만들죠. 스토리텔링의 관점에서 이는 두 가지 상이한 아이디어나 요소를 한데 묶는 걸 의미합니다. 이 둘의 상호작용이 이야기에 생명력을 불어넣게 되죠. 글로 쓴 이야기에서 당신은 (실내와 실외 같은) 환경, (친절함과 이기심 같은) 성격, (낡고 찌그러진 모자와 새 모자 같은) 이미지, 혹은 (자유와 속박 같은) 개념을 병치시킬 수 있습니다. 병치법은 의미를 명백하

게 드러내 주지는 않아요. 실제로 독자들에 적극적으로 설명하는 대신 두 개의 서로 다른 개체를 당신의 이야기에 엮어서 자연스럽게 비교가 되도록 할 수 있죠.

병치법은 또 시각적 스토리텔링에서 특히 효과적으로 사용될 수 있어요. 잠시 시간을 들여 창의적 사진을 구상한 뒤 병치법을 적용해 보세요. 예를 들어 인공적 환경을 배경으로 자연물을 놓거나 (아니면 반대로 하거나) 직선과 곡선, 낡은 것과 새것, 큰것과 작은 것을 나란히 놓는 거죠. 병치법은 우리의 흥미를 돋워 결국 멈춰 서서 주의를 기울이게 만들죠. 다시 한번 보면서 상상력을 발휘하게 하는 거예요. 소셜 미디어의 넘쳐나는 피드 속에서 당신의 이미지를 단연 돋보이게 할 거예요.

당신만의 정물 스토리를
구성해 사진을 찍어 보세요

살다 보면 어떤 장면이 마치 포착될 준비가 됐다는 듯 우리 눈앞에 나타날 때도 있지만 특정 순간을 이야기하는 정물 신을 직접 구성해 이미지를 창조하고 싶을 때도 있습니다. 시각적 스토리텔링은 작문의 규칙에 스타일링 기술, 그리고 창의성을 결합해 정물 이미지를 구성하고 그로써 구체적인 이야기를 들려주는 행위예요. 소셜 미디어나 잡지에서 볼 수 있는 것처럼 (사물을 위에서 내려다보는 형태로 찍어) 상단 레이아웃을 만들든 일상 소품의 아주 사소한 디테일에 살짝 변화를 주든 시각적 스토리텔링의 다양한 기술을 활용하면 정물의 이야기를 전하는 이미지도 창조할 수 있습니다.

정물화, 혹은 예술가들이 장면을 포착하는 방식에서 영감을 구해 보세요. 이때는 당신이 예술가입니다. 당신만의 방식으로 창작하고 고유한 시각적 목소리로 이야기를 전할 자유가 있어요. 어떤 일이 벌어지는 순간을 있는 그대로 포착하는 사진과 달리 정물 사진을 찍을 때는 얼마든지 시간을 가질 수 있습니다. 이 순간의 이야기를 어떻게 전할지 고민하고 촬영 전 이미지를 어떻게 구성할지 계획해 보세요.

- 빛에서 시작하세요. 빛의 출처, 강도, 방향을 고려하세요. 피사체를 배치할 때는 빛을 염두에 두고 그것을 활용해 분위기를 연출해 보세요.

- 이미지에서 중심이 되는 피사체가 무엇인지 생각해 보세요. 확률의 법칙에 따라 주요 피사체 한 개와 이를 보완하는 피사체 두세 개를 배치하는 게 좋습니다. 각 피사체가 이야기의 일부가 되는 게 중요해요.

- 프레임을 고려해 보세요. 프레임의 바깥쪽부터 안쪽으로 구도를 정해 보는 이의 시선을 화면 안쪽으로 유도해 주세요.

- 균형을 고려하세요. 프레임의 어느 부분에 피사체가 배치되나요? 보는 이의 시선이 프레임 전체에 골고루 닿을 수 있도록 유도해 당신의 이야기가 흘러가게 하세요.

◆ 프레임 너머를 생각하세요. 프레임 바깥에서 일어나고 있는 일을 암시하거나 사진 찍기 직전에 무슨 일이 있었는지 보여 줄 수 있는 증거를 첨가해 보세요. (이를테면 케이크에 들어간 달걀 껍질을 삽입하는 식이에요.)

정물 사진은 일상 이야기를 전하는 효과적인 수단이 될 수 있습니다. 정원에서 따 온 꽃, 차 한 잔과 책 한 권, 혹은 채소를 썰거나 과일을 깎는 행위 등 주방에서 펼쳐진 이야기까지, 당신이 들려주고 싶은 이야기에 맞은 정물 신을 선택하고 당신만의 정물 이야기를 구성해 사진을 찍어 보세요.

어느 순간의 이야기를 전하기 위한 사진을 구성할 때는 이 이야기의 맥락을 시각적으로 어떻게 구성하고 그 의미를 보는 이들에게 어떻게 표현할지 항상 자문해야 합니다. 오랫동안 나는 (카메라로 이미지를 구성할 때마다) 나 자신에게 이렇게 질문해 왔어요. '여기서 이야기가 뭐지?' 내게는 모든 장면 혹은 모든 사물이 이야기를 품고 있지만 사진 속에서 발생하는 이야기가 무엇인지 이해할 필요가 있어요. 지금 날씨는 어떻지? 빛은 어떻게 비추고 있지? 누가 여기에 왔었지? 내가 셔터를 누르기 전에 무슨 일이 일어났었지? 이후엔 무슨 일이 왜 일어날 예정이지? 이런 식으로 이 사진에서 중요한 게 무엇인지 찾아갑니다. 여기서 대체 무엇이 내 시선을 끌었는지 혹은 내게서 정확히 어떤 감정을 일으켰는지 (그리고 보는 이들에게 나는 어떤 감정을 일으키고 싶은지) 이해하는 거죠. 내 사진 중에는 시각적으로는 나쁘지 않지만 아무런 감흥도 없는 것들이 있어요. 경험에 비춰 볼 때 이는 내재된 서사가 없기 때문인 경우가 대부분이죠. 사진에서도 삶과 마찬가지로 스토리가 가장 중요해요.

사진에 감정을 불어넣는 주요 방법 중 하나는 촬영하는 순간 당신의 감정을 인지하는 연습을 하는 겁니다. 카메라는 당신이 눈으로 보고 또 마음으로 느끼는 대상을 기록하는 도구입니다. 마음 상태를 의식적으로 이해하면 당신이 사진으로 창조한 분위기에 반영돼 그 장면의 이야기를 좀 더 정확히 전할 수 있습니다. 이미지에서 분위기는 전체를 장악해 전하고자 하는 느낌을 보는 이들도 느끼게 돼요. 당신 자신에게 '이걸 보고 나는 어떤 느낌이 들지?' 그리고 '나는 이 감정을 이미지로 어떻게 구현할 수 있을까?' 하고 묻는 습관을 들여 보세요. 만약 전하는 이야기와 창조한 분위기가 감정적으로 연결돼 있다면 보는 이들도 감정적 반응을 경험할 확률이 훨씬 높습니다. 이미지에서 분위기를 연출할 수 있는 방법은 순간, 색채, 빛, 각도와 규모 등 다양하게 존재해요.

다양한 요소를 활용해 이미지의 분위기를 끌어올려 보세요

빛

사진을 찍을 때 빛의 상태를 최대한 활용해 분위기를 끌어올려 보세요. 예를 들어 (일몰 전이나 일출 후를 일컫는) 골든아워에 찍은 이미지에는 부드러운 잔광 혹은 (빛을 정면으로 촬영해 산란되게 만들면) 다른 세상 같은 광채가 생길 겁니다. 비 오는 날에 찍은 이미지는 (빛이 구름을 통과하면서 옅어져) 차분하고 고요하며, 환한 햇빛 속에서 찍은 이미지는 색감이 살아 있되 찍는 방향에 따라 그림자가 질 수 있습니다.

색채

프레임에 어떤 색상을 포함시키느냐에 따라 이미지의 분위기는 극적으로 달라질 수 있어요. 선명한 색상과 연한 자연 색감의 대조를 생각해 보세요. 당신이 전하고 싶은 이야기에 어울리는 색상을 선택하

세요. 색감은 사진 편집 어플을 사용해 조정할 수 있지만 처음에 당신이 선택했던 색상도 늘 염두에 두세요.

각도와 규모

이미지의 분위기에 변화를 주는 가장 간단한 방법 중 하나가 다양한 위치에서 사진을 찍는 겁니다. 클로즈업 혹은 멀찍이서, 위 혹은 아래에서 등 각각의 각도에서 찍힌 이미지는 다양한 감정을 일으키고 서로 다른 이야기를 들려줘요. 카메라 각도를 다양하게 설정하면서 한 가지 사물을 다양한 방법으로 촬영하는 연습을 해보세요. 여기서는 나뭇잎을 다음의 방법들을 참고해 찍어 봅시다.

- 다른 잎들에 둘러싸여 있는 작은 잎을 멀찍이서 찍기
- 손에 든 나뭇잎을 클로즈업해 찍기
- 숲 바닥에 떨어진 나뭇잎을 위에서 찍기
- 빛을 받아 반짝이는 나뭇잎을 밑에서 찍기
- 나뭇가지에 매달린 다른 잎들과 함께 구도를 잡되 포커스를 하나의 잎에만 맞춰 찍기

찍을 때마다 이미지의 분위기가 어떻게 변하는지 노트에 적어 보세요.

특정한 날에 관해 이야기할 때 스토리를 만들고 그날을 압축해 보여 줄 수 있는 핵심 사건을 떠올려 보세요. 예를 들어 아이의 생일 파티라면 케이크 촛불을 끄는 아이의 모습을 사진에 담을 수 있을 겁니다. 이를 미리 계획하면 그 순간이 오기 전에 미리 빛이 어디서 오는지 파악하고 적절한 위치에서 기다릴 수 있겠죠. 이 핵심 사건의 이전, 도중, 그리고 이후까지 사진을 찍는다면 그를 둘러싼 다양한 감정도 빠짐없이 포착할 수 있을 거예요. 이 경우 아이 얼굴에 가득한 설렘, 촛불을 끌 때의 기쁨, 그리고 또 한 해가 지나갔다는 사실을 깨닫는 부모의 서글픔 등이 되겠죠. 이처럼 예상 가능한 순간 말고도 나는 사건과 사건 사이의 순간을 포착하는 것을 좋아합니다. 그다지 중요한 일은 없지만 사람들이 가장 진실하고 편안한 상태에 있는 순간 말이에요. 이렇게 전환이 일어나는 때를 찾으면 연대감, 혹은 고독과 슬픔 등 고요한 순간을 포착할 수 있죠. 생일 파티를 예로 들면 자신이 손 글씨로 쓴 카드를 테이블 위에 올려놓는 아이의 손, 풍선을 갖고 노는 아기, 이야기 나누며 웃는 두 친구, 혹은 화려한 드레스를 입고 발끝으로 서서 케이크를 훔쳐보는 아이가 될 거예요. 이런 유형의 이미지들이 파티 하면 떠오르는 전형적 이미지보다 훨씬 소중하게 느껴질 때가 있어요. 경계의 순간이야말로 뜻밖에 일어난 고유의 순간을 전해 주기 때문이죠.

자신의 소소한 이야기를 기록하고 공유하면 자신도 얻는 게 있다는 사실이 이미 입증된 바 있습니다. (서던 캘리포니아 대학교의 크리스틴 디엘, 예일 대학교의 갈 자우버만, 그리고 펜실베니아 대학의 알릭산드라 바라쉬가) 2016년 실시한 연구 결과 긍정적 경험을 사진으로 기록해 둘수록 우리의 기쁨 역시 커지는 걸로 나타난 거죠. 사진 찍을 때 일어나는 정신 작용이 우리를 그 경험에 더 깊이 빠져들게 만들어 더 큰 기쁨을 느끼게 해준다는 거예요.

사진 컬렉션은 좋은 순간을 떠올리고 그래서 더 행복하다고 느끼고 싶을 때 돌아갈 수 있는 기억의 창고나 마찬가지예요. 그런데 이는 부정적 경험을 하는 순간을 기록한 사진에도 그대로 적용됩니다. 동일한 2016년 연구에서는 부정적 경험을 기록한 사진이 우리의 불행을 보존해 사진을 다시 접했을 때 그 순간의 감정을 그대로 느끼게 한다고 밝히고 있습니다.

하지만 노트에 글을 쓸 때는 정반대 현상이 일어나는 걸로 알려져 있어요. 감정과 경험을 글로 쓰면 심지어 부정적인 것들이라도 얻는 게 있습니다. 매튜 리버만 교수는 '당신의 감정을 글로 쓰는 건' 심지어 괴롭거나 우울한 감정이라고 해도 '당신에게 좋다.'고 했습니다. 그의 연구에 따르면 우리의 감정을 분류하는 행위(글쓰기)가 두뇌 활동의 패턴을 바꿔 줄 수 있어요. 그 결과 단기적으로는 걱정스럽거나 두려운 것들에 스트레스를 덜 받게 되고 장기적으로는 건강이 더 좋아지게 됩니다. 간단히 말해 당신의 감정을 노트에 적으면 더 건강하고 행복해진다는 겁니다. 이는 긍정적 경험을 사진으로 찍어 차후 돌아볼 때 일어나는 효과와 같기도 합니다. 당신의 소소한 이야기를 전하는 건 단순히 창의적 배출구, 추억 컬렉션이나 자기표현의 한 형태일 뿐 아니라 마냥 좋은 일이 될 수 있습니다.

오래도록 기억하고 싶은 순간을
세밀하게 기록해 보세요

    나중에 언제든지 꺼내 볼 수 있도록 반드시 기억하고 싶은 행복하거나 슬픈 순간을 서술적 타임캡슐의 형태로 일기장에 기록해 보세요. 여기서 목표는 사진으로는 놓치기 마련인 요소들을 글로 표현하는 겁니다. 감각적 디테일을 포착하세요. 소리, 냄새, 온도, 빛의 상태, 그리고 피부에 느껴지는 감각을 기록해 보세요. 아무리 사소한 움직임도 빠트리지 말고 기록하세요. 그 순간의 경험을 최대한 구체적으로 설명해 보세요. 훗날 거기로 다시 걸어 들어갈 수 있도록 말이에요. 당신의 감정을 언제까지나 기억할 수 있을 거라고 단언하지 말고 글로 표현해 두세요. 목표는 기억을 마음과 심장에 각인시키는 것이며 타임캡슐은 당신이 이 순간으로 돌아갈 수 있도록 기억을 깨우는 수단으로 존재합니다.

어떤 이야기를 할지 결정하는 게 스토리텔링에서 가장 어려운 부분일 때가 있습니다. 우리는 가장 익숙한 장소에서도 다이아몬드를 캐듯 이야기를 발굴할 수 있죠. 만약 아무런 영감도 떠오르지 않는다면 일상의 소소한 이야기는 대개 일상적 장소에서 나온다는 사실을 떠올리세요. 당신의 휴대폰에는 분명 이야깃거리로 쓸 만한 재료가 가득할 겁니다. 휴대폰 속 메모 역시 탁월한 영감의 원천이죠. 잊지 않기 위해 끄적여 놓은 문장들은 시간이 흐를수록 신비한 힘을 갖게 될 거예요. 기억을 되살려 그때는 몰랐던 이야기를 발견할 수도 있고 생각의 연쇄 작용이 일어나 새로운 아이디어가 떠오를 수도 있죠. 그러니 잘 뒤져 보세요. 아니면 휴대폰은 내려놓고 집을 한번 둘러보세요. 이미 버린 쇼핑 목록, 혹은 읽고 있는 책에 끼워진 생일 카드의 이야기를 해줄 수 있나요? 선반에 올려놓은 사진이나 냉장고에 붙여 놓은 메모에 관한 이야기는 어때요? 당신이라는 사람의 자취가 묻은 곳은 어디든 소소한 이야기가 존재합니다. 현관에 놓인 진흙투성이 부츠에 관한 이야기, 지갑에 끼워 갖고 다니는 사진에 관한 이야기, 혹은 주방 창을 톡톡 두드리는 덩굴에 관한 이야기를 들려주세요. 바로 지금 이 순간 당신이 된다는 건 어떤 건지 들려줄 소소한 이야기를 찾아보세요.

소소한 이야기가 차곡차곡 쌓일수록 당신이 누구인지 보여 주는 그림은 더 크게 그려질 거예요. 수많은 날이 모두 이어져 삶을 이루듯

221

소소한 이야기가 수없이 모여 인생 이야기를 만듭니다. 이야기의 중심에는 바로 당신이 있어요.

당신이라는 사람의 자취가 묻은 곳은
어디든 소소한 이야기가 존재합니다.

chapter 9

기록하는 모든
이야기의
중심은 당신이에요

스스로에 대한 기록을 멈추지 마세요

　당신이 쓴 모든 단어와 찍은 모든 사진은 당신의 눈으로 본 세상을 기록합니다. 당신의 존재는 은연중 드러나지만 소소한 이야기가 진짜 당신의 것이 되려면 이야기 속에 주인공이 누구인지도 기록해야 한다는 게 내 생각이에요. 물론, 당신을 프레임 안에 넣으려면 용기가 필요하죠. 나도 알아요. (그 수단이 사진이든 글이든) 자신을 기록할 때면 우리는 스스로에게 자신이 없어지잖아요.

　우리는 자신에게 가장 가혹한 비평가일 때가 많고 외모에 따라 평가받는 데에도 이미 익숙합니다. 사람들에게 보여 줄 만큼 아름답거나 날씬하거나 젊지 않다고 느끼는 건 물론이고요. 한편으로는 자신의 모습을 찍는 것이 허영심에 굴복한 행위인 듯해 스스로가 가벼운 인간처럼 느껴지죠. 그러니 카메라 뒤에서 나와 프레임 안으로 들어간다는 건 상상만 해도 끔찍할 수 있어요.

몇 년 전까지만 해도 나는 내 모습이 담긴 사진을 누구보다 질색했지만 지금은 가장 아끼는 사진으로 손꼽기도 합니다. 물론, 그런 사진을 매번 공유하지는 않고 개중엔 나 혼자서 보는 것들도 있어요. 하지만 어쨌든 내 모습을 찍은 사진은 삶의 이야기가 담긴 소중한 순간이라는 것만큼은 확실해요. 자기 사진에 대한 인식은 얼마든지 바꿀 수 있다고 나는 믿습니다. 이처럼 당신의 모습이 담긴 사진은 삶을 이야기하는 데 필수이며 심지어 즐거운 방법이라는 걸 보여 드리고 싶네요.

당신의 목표가 삶의 소소한 이야기를 하는 것이라면 그 이야기에는 당신이 등장해야 합니다! 일상을 기록할 때 스스로 그 안의 공간을 차지하는 걸 두려워하지 마세요. 당신의 모습이 담긴 사진에서 중요한 건 표정이나 포즈, 혹은 자기 과시가 아닙니다. 지금 이 특정한 순간에 당신이 누구인지 지극히 개인적인 방법으로 표현하는 거죠. 초상 사진은 스토리텔링의 한 형태로서 자신을 기록하게 해주고 그래서 지금 이 순간, 그리고 미래의 당신에게 선물이 됩니다. 원하지 않으면 보지 않아도 돼요. 하지만 언젠가 그 사진이 떠올라 꺼내 보면 특정한 그 순간의 아름다움 혹은 진실을 보게 될 거예요.

내 사무실 책상 옆에는 내가 가장 좋아하는 내 사진 몇 점이 걸려 있습니다. 정체성이 표류하기 시작하고 자존감이 바닥을 칠 때마다 다시 찾게 되는 나만의 이정표 같은 거죠. 10대 후반, 우정 팔찌를 낀 모습으로 부모님의 작은 집 벽에 카메라와 나란히 기대 시선은 아래로 향한 채 찍은 흑백 사진, 최근 웨일즈 해변에서 (젖은 머리칼을 늘어뜨린 얼굴이 너무 크게 나왔지만 바다에서 막 수영하고 나와 행복하게) 찍은 흐릿한 폴라로이드 사진, 그리고 10년 전 갓난아기 육아로 수면 부족에 시달리다 퀭한 눈과 헝클어진 머리칼, 그리고 잠든 아기를 품에 안은 채 마주한 욕실 거울 속 모습을 휴대폰으로 찍은 사진까지, 내가 이 사진들을 사랑하는 건 잘 나와서가 아니라 삶의 여정 속에서 때마다 내가 어떻게 존재했고 어떤 기분이었는지 다시 떠올리게 해주기 때문이에요. 이 사진들 덕분에 나는 내가 누구였는지 기억하고 나를 더 잘 이해할 수 있었어요.

우리의 모든 소소한 이야기가 그렇듯 자신의 모습이 담긴 사진은 그냥 지나치면 잊히고 말 경험이나 느낌을 포착해 줄 수 있습니다. 당신만의 관점에서 완전히 새롭게 해석한 세상을 기록하게 해주죠. 자신의 사진은 값진 스토리텔링 도구이자 보람 있는 창작 과정이에요. 작가이자 피사체로서 자신의 사진을 찍을 때 모든 통제권은 당신에게 있습니다. 완벽해 보일 필요도 없고 그냥 자신으로 존재하면 돼요. 덕분에 당신 안에 숨은 용기를 발휘하고 창작을 위한 실험을 다양하게 해볼 기회도 누릴 수 있습니다. 각도, 조명, 분위기, 구도 등 원하는 건 얼마든지 바꿀 수 있고요. 이건 진짜 제대로라는 느낌이 들 때까지 계속 사진을 찍어서 전하고자 하는 이야기를 정확하게 표현해 보세요.

자신의 초상에 심각할 필요는 없습니다. 발랄하게 모험하고 즐기는 모습도 얼마든지 가능하죠. 이따금 나는 충동적으로 내 모습을 찍을 때가 있어요. 벽에 비친 내 그림자가 눈에 들어오거나 매장 창에 비친 내 모습이 재밌거나 길에 반사된 빛 조각이 예쁘거나 머리칼을 자르고 욕실 거울 앞에 선 모습이 신선해 보일 때 등이죠. 물론 신중하게 고민해서 찍을 때도 있습니다.

재미있는 아이디어, 표현하고 싶은 감정이나 포착하고 싶은 장소가 있을 때, 혹은 심지어 그날의 날씨를 이야기로 엮어 보고 싶을 때가 있죠. 그럴 때 나는 종잇조각이나 노트에 떠오르는 대로 적어 내려가며 계획을 세워요. 처음엔 나 자신에 대해 어떤 이야기를 들려주고 싶은지 고민하는 걸로 시작합니다. 이후 사진의 배경으로 원하는 장소, 입고 싶은 옷, 원하는 빛의 상태를 최적으로 구현해 줄 시간대, 그리고 전하고자 하는 이야기에 디테일을 더하기 위해 다른 아이템을 추가할지 여부를 고민하죠. 이따금 원하는 초상의 이미지를 대략 스케치해 보기도 하는데 결국엔 촬영할 때 늘 더 좋은 아이디어가 나오더라고

목표는 당신에게 편안한 방식의
기록 방법을 찾는 겁니다.

요. 이렇게 미리 계획한 초상 사진을 나는 (타이머 설정이 가능한) 카메라와 삼각대를 이용해 촬영하지만 당신은 휴대폰과 삼각대를 사용할 수도 있고 삼각대가 없으면 휴대폰을 테이블이나 창턱에 잘 세워서 촬영하는 것도 좋습니다.

내 사진을 찍을 때 나는 주로 스케일에 변화를 줍니다. (광활한 자연경관 속에서 내가 상대적으로 작아 보이는) 네거티브 스페이스가 충분한 사진을 선호하기도 해요. 이런 사진은 작가이자 사진가인 내 친구 줄리아 윌리엄스와 대화를 나눈 이후부터 찍게 됐어요. 내가 내 모습을 찍는 걸 그리 좋아하지 않는다는 사실을 안 그녀가 멀찍이 떨어져서 찍어 보라고 제안해 주었죠. 사진 속에서 조그맣게 등장하면 클로즈업 샷으로 크게 나오는 것보다 마음이 훨씬 편안하다는 거였어요. 이 조언 덕분에 초상 사진에 대한 인식이 바뀌었습니다. 이제 이런 사진을 찍을 때 나를 그리 의식하지 않게 되었을 뿐더러 다양한 실험을 통해 네거티브 스페이스가 스토리텔링에 아주 효율적인 도구라는 사실도 깨달았어요. 이제 나는 내가 좋아하는 풍경을 사진, 그리고 전하고 싶은 이야기에 담을 수 있게 되었습니다. 내 초상 사진에서도 내가 어떻게 보이느냐가 아니라 무엇을 말하고 싶은가에 중점을 두게 되었죠.

정지와 움직임의 대비를 활용하면 자신의 모습이 담긴 이야기에 큰 차이를 만들 수 있습니다. 삼각대를 활용해 촬영할 때 나는 같은 장소에서도 다양한 이미지를 연출해요. 우선 포즈에 변화를 주죠. 올려다보고 내려다보고 카메라를 등지고 섰다 이미지의 중앙에 섰다 옆쪽에 서기도 하면서요. 내 이미지에 움직임을 첨가하기도 해요. 입고 있는 치마를 흔들고 고개를 흔들고 프레임을 가로질러 가거나 제자리에서 빙글빙글 돌기도 하죠. 초점이 완벽하게 맞은 정지 사진은 움직임 때문에 초점이 나간 사진과는 다른 이야기를 들려줍니다. 사진이 초점이 나가 실패했다 느낄 수 있겠지만 사실 움직임은 정적인 이미지와는 다른 감정을 사진에 불어넣어 주죠. 프레임 설정도 당신의 초상 사진이 전하는 스토리를 바꿀 방법이에요. 프레임의 경우 거울에 비친 초상(혹은 창이나 물웅덩이에 반사된 초상)에서는 정해져 있지만 야외 환경에서는 얼마든지 발견하고 창조할 수 있죠. 예를 들어 삼각대를 무성한 잎이나 양치류 사이에 놓고 사진 찍으면 모든 경계를 지울 수 있고 나무의 모양을 자연의 프레임으로 활용할 수도 있고요.

다양한 방법으로 자신의 모습을
찍어 보세요

발

본인의 사진에 등장하는 가장 빠르고 쉬운 방법은 아마 카메라나 휴대폰을 아래로 향하게 해 발을 찍는 것일 겁니다. 발가락 끝이나 발 전체, 혹은 무릎 아래부터 발까지 통으로 찍어 말 그대로 프레임 안에 발을 디디는 거죠. 발자국을 찍어서 세상을 탐험하는 당신의 여정을 짧게 기록할 수도 있고요. 이런 식으로 사진의 구도를 다양하게 실험해 볼 수 있습니다. 색상과 패턴을 어떻게 활용할지 고민하고 대각선 구도를 조성해 당신의 사진을 한층 역동감 있게 만들어 보세요. 내 카메라에는 내 발을 찍은 사진이 수없이 많아요. 야생 마늘꽃 무늬 카펫 위에 서서, 한창 걷던 와중에 찍거나 기차 플랫폼 끝에 서서 찍기도 했죠. 이런 사진은 내가 아는 한 이게 나야, 나 여기 있어라고 말하는 가장 쉬운 방법이에요. 시선을 아래로 향하고 있으면 평소 그냥 지나치고 말았을 디테일도 알아차리고 기록하게 돼요. 바닥에 떨어진 벚꽃, 포장도로를 관통하는 빛줄기, 갈라진 바닥 타일 같은 것들 말이에요.

손

신체에서 자연스러운 표현이 가능한 손도 마찬가지로 아주 매력적인 피사체가 될 수 있습니다. 휴대폰이나 카메라를 한 손에 들고 남은 한 손을 촬영하면 되니까요. 혹시 두 손 모두 촬영하고 싶다면 삼각대를 사용하면 되고요. 사진가의 손은 보는 이로 하여금 카메라 뒤에 있는 그의 존재를 떠올리게 해줍니다. 그래서 사진에 더 친근감을 느끼게 해주죠. (책, 펜, 나뭇잎, 사진 등) 특정 물건을 들고 사진을 찍기로 한다면 당신한테 현재 중요한 게 뭔지 이야기해 주는 사진을 구성할 수 있어요. 손 하나에도 이야기가 담겨 있습니다. 나는 사랑하는 사람들을 생각할 때 그들의 손이 어떻게 생겼는지 확실히 떠올릴 수 있어요. 아버지의 손은 온갖 궂은 날씨를 겪어 거친 데다 주근깨로 뒤덮여 있고 십 대부터 가장 친했던 내 친구의 손은 길고 우아해요. 내 둘째 아들의 손에는 여기저기 잉크가 물들었고 기타를 쳐서 굳은살도 박여 있죠.

그림자

햇빛이 밝게 내리쬐는 날 벽에 기대서거나 땅 위에 서서 당신의 그림자를 찍어 보세요. 실루엣을 찍으면 전혀 다른 차원의 사진이 탄생할 수 있습니다. 그 그림자는 당신이면서 당신이 아니기도 하니까요. 그림자 사진이라고 해서 반드시 어두운 느낌을 줄 필요는 없습니다. 얼마든지 편안하고 재미있는 방법으로 사진에 등장시킬 수 있어요. 한여름 해변에서 사진 찍을 때 나는 한 번씩 카메라 뒤에서 벗어나 그림자 샷을 찍어요. (발가락 끝이 아슬아슬하게 파도에 닿아 있는 사진과 함께요.) 손을 흔들거나 스카프가 흩날리거나 치마가 휘날리는 등 움직임이 가미된 그림자를 찍으면 그림자 초상에 움직임, 삶과 재미를 더할 수 있죠.

셀카

셀카는 자신의 모습을 가장 쉽고 빠르게 찍는 방법이에요. 휴대폰에서 카메라 렌즈 방향을 반전시켜 얼굴이 화면에 보이도록 한 다음 사진을 찍는 거죠. 예전에 '팔을 쭉 뻗어'(일회용 필름 카메라를 사용했던 그 시절을 아시나요? 렌즈가 나를 향하도록 붙잡고 팔을 쭉 뻗어 사진이 잘 나오도록 미소 지으며 셔터를 눌렀던 시절이 있지요.) 자기 모습을 찍었던 때처럼 휴대폰 전면의 카메라로 셀카를 찍을 땐 잡을 수 있는 구도에 한계가 있어요. 하지만 이 순간 혹은 느낌을 기록하는 데는 이만한 방법도 없죠. 사진 속 얼굴이 '이게 나야, 나 여기 있어'라고 말하고 있으니까요.

삼각대와 셀프타이머

휴대폰으로 찍든 카메라로 찍든 삼각대는 당신의 모습을 얼마든지 원하는 구도로 찍을 수 있는 자유를 선사합니다. 삼각대를 이용해 사진을 찍는다면 구도를 잡은 뒤 카메라에 타이머를 설정하세요. 카메라 리모컨이 없다면 당신이 서 있을 자리와 직선상에 있는 사물을 찾아 초점을 맞추고 재빨리 프레임 안으로 달려가도록 합니다. 만약 (나처럼) 삼각대를 잃어버렸거나 아예 없다면 벽, 나무 혹은 다른 견고한 장소에 카메라를 세워 둘 임시방편을 마련하세요. 사진 속에 네거티브 스페이스가 존재하는 걸 두려워할 필요는 없어요. 본래 프레임을 가득 채우지 않아도 될뿐더러 카메라에서 더 멀리 떨어져 더욱 조그맣게 보여도 좋습니다. 내 모습을 찍기 시작했을 때 나도 조그맣게 보이는 게 구도 잡기가 더 편하더라고요. 자연 경관 속에서 사진 찍을 때는 나를 둘러싼 세상 역시 이야기의 일부가 됩니다.

반사된 모습

이건 내가 개인적으로 가장 좋아하는 사진이에요. 삼각대를 쓰는 것보다 간단하고 '휴대폰 셀카'보다 유연한 반영 샷은 거울, 창, 웅덩이 등 피사체가 반사되거나 비쳐지는 표면 어디서나 찍을 수 있죠. 이렇게 찍은 사진 중 내가 가장 아끼는 건 막내가 신생아였을 때 넋이 나가 있던 내 모습을 거울을 통해 찍은 사진이에요. 이 사진을 보면 잠은 부족하고 혼란스럽기까지 하지만 기쁨도 컸던 그 시절로 되돌아가게 되죠.

거울에 비치는 모습을 찍은 사진은 허영의 산물이 아니에요. 이렇게 특별한 기술을 지녔던 사진가로 비비언 마이어를 들 수 있어요. 미국인인 그녀는 롤라이플렉스의 중형 필름 카메라로 자신의 모습을 찍던 거리의 사진가죠. 거울뿐 아니라 매장 창문부터 자동차 사이드 미러에 이르기까지 모든 반사 표면에 비치는 이미지를 찍었어요. 그녀의 초상 사진 아카이브는 아주 훌륭한 영감의 원천입니다.

휴대폰 카메라 역시 어딘가 반사된 당신의 모습을 찍을 수 있는 완벽한 도구예요. 휴대폰을 항상 소지하는 만큼 웅덩이, 재미있는 창이나 거울을 만나면 언제든지 사진을 찍을 수 있죠. 나는 집 안 거울에 비친 내 모습을 찍을 때도 많아요. 다년간의 경험을 통해 욕실 조명이 가장 예쁘게 떨어진다는 사실을 알고 있기에 나 자신을 사진에 담고 싶을 때는 보통 세면대 거울에서 시작하죠.

내가 내 사진을 찍는 건 나의 기쁨, 열정, 집착을 포착하기 위해서예요. 바다에서 수영하거나 숲속을 거니는 나, 춤추는 빛 혹은 소용돌이 치는 안개 속에 서 있는 내 모습을 찍죠. 당신이 포착하는 모습은 아마 또 다를 거예요. 초상 사진은 무엇이 당신을 기쁘게 하고 또 풍요롭게 하는지 보여 줍니다. 그 사진들을 통해 당신에게 다른 무엇보다 소중한 이야기를 들려준다고 생각하세요.

당신의 사진으로 이야기를 전할 땐 시선을 어떻게 처리하느냐도 중요해요. 카메라를 똑바로 응시할 수도 있고 위나 아래, 혹은 먼 곳을 바라볼 수도 있죠. 이렇게 간단한 동작만으로 사진의 분위기가 바뀌고 그 속에 담긴 이야기가 달라집니다. 눈을 감고 스스로 내면을 바라보는 순간을 포착한 사진에는 강력한 스토리가 담길 수 있죠. 카메라 앞에서 눈을 감는 건 의도적이고 힘 있는 선택입니다. 휴대폰 렌즈가 당신을 향하도록 들고 팔을 쭉 뻗은 뒤 눈을 감고 한 박자 쉬었다 사진을 찍어 보세요.

나에게 초점을 맞추고
다양한 기법으로 기록해 보세요

만약 카메라 앞에 서는 것이 극도로 싫거나 글과 사진 모두를 활용해 지금 이 순간 당신이 누구인지 완벽하게 기록하고 싶다면 당신의 초상을 글로 기록해 보세요. 물론 신체적 특징을 기록하는 것도 좋지만 글로 쓴 초상은 사진으로는 짐작만 할 수 없는 성격, 느낌, 감정적 속성을 탐색하게 해준다는 점에서 강점을 갖습니다. 내면세계에 무엇이 있는지, 그리고 무엇이 지금의 당신을 만들었는지 기록할 수 있는 거죠. 다음의 첫머리 문구를 활용하는 것이 도움이 될 겁니다.

- 내 얼굴은…
- 내 손은…
- 내 옷은…
- 나의 움직임은…

◆ 나의 성격 유형은…

◆ 나는 항상…

◆ 나는 결코…

◆ 사실 나는…

내가 없는 자화상

그림에서 내가 없는 자화상이란 화가가 자신의 방이나 작업실을 그릴 때 그 안에 정작 자신은 그려 넣지 않은 그림을 말합니다. 자신의 창작 공간을 표현할 때 그들은 내면의 뭔가를 드러내는 환경에 자신과 연결된 친밀함을 포착하죠. 이를 효율적으로 표현한 작품으로 화가 그웬 존의 〈화가의 방 한구석, 파리〉을 들 수 있을 겁니다. 이는 제목에서 알 수 있는 그대로 파리에 있는 예술가의 방 한구석에 위치한 창, 책상과 의자를 표현하고 있어요.

테이블 위에는 꽃병이 있고 의자에는 우산과 옷가지가 걸려 있습니다. 여기서 우리가 볼 수 있는 파리는 창을 통해 보이는 경사진 지붕과 벽, 그리고 거리의 불빛이 전부죠. 단순한 그림이지만 그 이면에 어떤 이야기가 숨어 있는지 상상하게 만드는 고요한 힘을 갖고 있습니다. 누가 이 우산을 썼고 또 누가 이 꽃들을 꽂아 놨는지 알고 싶어지거든요. 화가가 그림에 넣기로 선택한 디테일은 하나하나가 단서가 될 수 있습니다.

이 같은 유형의 자화상을 글로 묘사할 수도 있습니다. 일단 당신의 방 혹은 그 방 안의 특정 사물(책상, 선반이나 테이블)을 떠올리고 그 공간의 모습을 묘사하는 글을 써 보세요. 당신이 누구이고 어떤 감정인지 들려주려면 어떤 단서를 포함시키는 게 좋을까요? 당신의 공간에 대해 서술하려면 당신을 둘러싼 환경과 그곳에 놓인 사물들을 묘사해야 합니다. 그 공간을 사진으로 찍어서 글과 함께 게재하는 방법도 있고요.

작가이자 영화감독인 노라 에프론은 "무엇보다 당신 삶의 희생자가 아닌 주인공이 되어라."고 말했어요. 삶의 소소한 이야기를 더 크고 포괄적인 '인생 이야기'로 봤을 때 주인공은 당신입니다. 삶의 이야기는 계속해서 배우고 또 자신을 탐험하는 과정입니다. 세상을 향해 나아갈 길을 찾을 때 자신에게 돌아오는 길도 발견할 수 있어요. 그리고 결국 우리가 누구인지 깨닫게 돼요.

당신의 목소리가 중요한 이유는 자신만의 고유한 이야기를 할 수 있는 사람은 오로지 당신뿐이기 때문이에요. 목소리가 아무리 작다고 해도 당신이 들려주는 소소한 이야기에 흡입력만 있다면 사람들은 몸을 기울여서라도 들으려고 애쓸 겁니다.

꾸준히 기록하고 보관할 수 있는
준비를 해두세요

스토리텔링 연습을 지속적으로 한다는 건 소소한 이야기를 기록하고 전하는 행위가 일상이 된다는 의미입니다. 체계를 조금만 잡으면 이를 얼마든지 실행할 수 있죠. 가방이나 주머니에 작은 수첩을 넣고 다니면서 보관용 노트에 덧붙일 사항들을 그때그때 메모해 보세요. 각 노트 앞표지 안쪽 면에 시작한 날짜를 적고 다 쓰고 나면 선반이나 상자에 날짜순으로 보관하세요. 마찬가지로 사진 보관을 위한 폴더 체계를 갖추는 것도 좋습니다. 일례로 나는 노트북 책상 위에 폴더를 하나 두고 매주 내 아이들 한 명씩 찍은 사진을 보관해 두죠. 이렇게 하면 나중에 사진을 인화하거나 사진첩을 만들 때 훨씬 수월하거든요. 사진들을 특정 테마나 시기에 따라 분류하거나 아니면 그날의 사진을 한 장씩 선정해 수집해 보세요.

주기적으로 시간을 내서 사진을 인화하세요. 솔직히 나는 이 과정을 까먹기 일쑤인데 용케 기억해서 인화한 사진이 우편으로 도착하면 그때마다 얼마나 기쁜지 모릅니다. 인화한 사진은 액자에 넣어 전시하거나 친구 및 가족에게 보내거나 앨범 혹은 노트에 직접 부착해 둘 수 있어요. 사진가인 내 친구 산더 버클리는 사진들을 사건, 시기 혹은 주제에 따라 분류해 차곡차곡 쌓아 둡니다. 여기에 짧은 설명을 적어 붙이고 리본으로 묶어 단순하지만 사랑스러운 타임캡슐을 만들죠. 당신의 소소한 이야기를 신발 상자나 커다란 봉투에 모아 컬렉션을 만드는 방법도 있으니 당신에게 가장 잘 맞는 걸 선택하세요.

스토리텔링 연습을 지속적으로 하면 당신 자신, 그리고 소중한 이들에 관한 기억을 간직할 수 있어요. 일상의 이야기를 전하듯 이벤트나 여행 등의 특별한 사건을 스토리텔링을 통해 간직할 수도 있고요.

스토리텔링을 적절히 활용하면 소셜 미디어에서 남다른 존재감을 구축할 수 있어요. 이를 위해서는 당신만의 스타일을 구축하고 일관되게 가져가야 합니다. 내 경우에는 차분한 색상, 자연의 고요한 이미지, 네거티브 스페이스와 단순한 스타일링을 추구하고 있죠. 물론 당신은 또 다른 스타일을 보여 줄 테지요. 소소한 이야기를 흡입력 있게 하는 법을 배우면 당신의 삶에 매료된 사람들이 절로 모여들 겁니다.

소셜 미디어에서도 실제 삶과 마찬가지로 관계가 양방향으로 맺어집니다. 당신의 이야기를 전하고 싶다면 관심을 넓혀 그들이 전하는 이야기에도 공감해 줘야 하는 거죠. 댓글을 남기고 질문을 던져 우정을 쌓아 가세요. 당신의 이야기를 들어 달라고 타인을 초대할 때는 그들의 이야기를 들어 주세요. 우리의 이야기는 사실 각자의 내면을 향해 있지만 서로를 연결해 주는 통로이기도 하니까요.

스토리텔링은 무엇보다 기억하고 간직하는 행위예요. 소소한 이야기를 모아 두는 건 훗날 다시 돌아가기 위해서죠. 한데 모아 둔 나의 이야기는 미래의 내가 꺼내서 읽고 또 살아갈 수 있도록 현재의 내가 준비하는 메시지이자 선물이 됩니다. 이야기의 조각들을 하나씩 수집해 나갈수록 테마와 패턴이 드러나기 시작할 거예요. 당신의 사진첩이나 일기장을 한 번 쭉 넘겨 보세요. 글과 이미지를 하나로 엮고 있는 실이 보이나요? 모든 삶에는 반복되는 테마와 숨은 패턴이 있죠. 가까이서 들여다보면 내게만 특별한 의미를 갖는 상징물을 찾을 수 있을 거예요. 이를테면 이미 잃어버린 누군가를 떠올리게 하는 사물 같은 것 말이죠.

250

우리 각자에게는 '이야기'가 있어요

우리가 바로 소소한 이야기예요. 소소한 이야기가 바로 우리고요. 이야기는 거창해야 한다고 생각할 수 있지만 삶의 구조가 예기치 않게 바뀌는 경험을 하고 나면 소소한 이야기가 가장 중요하다는 사실을 깨닫게 됩니다. 한때는 대수롭지 않게 여겼던 일상의 디테일이야말로 지금 내가 가장 되찾고 싶은 소중한 보물이에요. 할머니가 외출하기 전 화장품으로 볼터치를 하시던 모습, 십 대 시절 가장 친한 친구와 함께 동네 버스 정류장에서 불렀던 노래, 내 아기들이 까르르 웃는 소리, 6월 저녁 우리 집 벽을 뒤덮은 하얀 장미꽃 향기, 태국 길거리에서 판매하던 구운 바나나의 달콤한 맛, 혹은 부모님의 지하 저장고 위 뚜껑을 가르는 오빠의 스케이트보드 바퀴 소리까지요.

소소한 이야기 중에는 공유하고 만천하에 공개하며 심지어 지붕에서 큰소리로 외치고 싶은 이야기도 있지만 몰래 접어 작은 목걸이에 끼운 뒤 조심스럽게 간직하고 싶은 이야기도 있습니다. 내게 가장 소중한 게 뭔지 상기해야 할 때 언제든지 꺼내 펼쳐볼 수 있도록 말이죠. 우리는 순식간에 지나가 버리는 순간, 사소하고도 평범한 나날 등 소소한 이야기들 속의 자신을 발견합니다. 시인 하피즈가 말한 '당신의 존재에서 뿜어져 나오는 놀라운 빛'이 당신을 비출 수 있길 나는 바랍니다. 소소한 이야기는 당신이 누구인지 보여 줄 수 있으니까요.

이렇게 아름답고 평범한 나날이 삶의 나날이에요. 우리가 확실히 알 수 있는 유일한 순간은 '바로 지금'뿐입니다. 휴대폰 액정 화면만 들여다보며 삶의 순간들을 지나칠지 아니면 두 눈을 크게 뜨고 세상 속으로 걸어 들어가 눈앞의 경이로운 스토리를 포착할지는 당신의 선택이에요.

삶은 진짜예요. 그래서 집중해야 하죠. 우리 각자에게는 '이야기'가 있어요.

옮긴이 **이정민**

인하대학교 역사학과를 졸업하고 고려대학교 국제대학원에서 국제평화안보를 공부했다. MBC 문화방송 시사교양국 〈지구촌 리포트〉 구성 작가와 보도국 국제팀 번역 작가로 재직했으며, 외교통상부 산하 핵안보정상회의 준비기획단 홍보 에디터를 거쳐 현재는 바른번역 소속 전문 번역가로 활동 중이다. 옮긴 책으로는 『MOM 맘이 편해졌습니다』, 『평가받으며 사는 것의 의미』, 『이집트에서 24시간 살아보기』, 『인류의 역사』, 『돈 걱정 없는 삶』, 『로마에서 24시간 살아보기』, 『빅 히스토리』, 『21일』 등이 있다.

평범한 날들을 근사하게 기록하는 법

초판 1쇄 인쇄 2023년 2월 23일
초판 2쇄 발행 2023년 3월 23일

지은이 로라 패쉬비 **옮긴이** 이정민
펴낸이 김종길 **펴낸 곳** 글담출판사 **브랜드** 인디고

기획편집 이은지·이경숙·김보라·김윤아 **영업** 성홍진
디자인 손소정 **마케팅** 김민지 **관리** 김예솔

출판등록 1998년 12월 30일 제2013-000314호
주소 (04029) 서울시 마포구 월드컵로8길 41 (서교동 483-9)
전화 (02) 998-7030 **팩스** (02) 998-7924
블로그 blog.naver.com/geuldam4u **이메일** geuldam4u@geuldam.com

ISBN 979-11-5935-135-8 (03840)

책값은 뒤표지에 있습니다.
잘못된 책은 바꾸어 드립니다.

만든 사람들 ─────
책임편집 이은지 **디자인** 정현주 **교정교열** 김익선

글담출판에서는 참신한 발상, 따뜻한 시선을 가진 원고를 기다리고 있습니다. 원고는 글담출판 블로그와 이메일을 이용해 보내주세요. 여러분의 소중한 경험과 지식을 나누세요.
블로그 http://blog.naver.com/geuldam4u **이메일** to_geuldam@geuldam.com